DÉSERTEUR

BORIS BERGMANN

DÉSERTEUR

roman

calmann-lévy

© Calmann-Lévy, 2016

COUVERTURE
Maquette : cedric@scandella.fr
Adaptation : Alistair Marca
Illustration : © Anton Bialas, *An Army of One*

ISBN 978-2-7021-6049-7

« À mes amis qui ne sont pas morts
dans les attentats. J'écris pour les vivants. »

I

PARIS

« La paix c'est le temps que tu prends
à recharger ton arme. »

Bob DYLAN

1

Ma guerre a commencé par une reddition.

Juste après la dernière saison d'attentats.

La France, meurtrie par cette série trop lancinante,
a déclaré la guerre au califat.

À 20 heures, on a tous fait le même geste, sacré,
avec nos télécommandes au garde-à-vous : revoir
le déjà-vu, réentendre les conclusions hâtives des
uns et des autres ; entrer en guerre ensemble, tous
à la fois. L'officialisation collective, ça rassure.

Je me suis alors repassé en boucle les images de
tous les attentats des derniers mois : terrasses fau-
chées, FoodTrucks calcinés, speed-daters démem-
brés, pédaleurs de Velib' en miettes, Uber-kamikazes
et autres mosquées amalgamées... Visions toutes
moins marquantes qu'un souvenir d'enfance plus
enfoui : deux tours qui s'écroulent sur elles-mêmes

un après-midi de septembre. Ces vidéos qui déferlent en boucle sur mon écran, extraites des bas-fonds du Web format streaming, râpent tout de même ma rétine. Et brûlent tout ce qu'il y a derrière.

J'ai décidé de ne pas être triste. J'ai essayé de me forcer mais je n'y arrive pas. L'émotion commune, dictature du ressenti, en voulant m'imposer sa réaction unique, m'empêche depuis d'éprouver le moindre tressaillement. Je n'ai pas pleuré ces nuits-là, pourtant les larmes ne cessent de couler en moi. Les impressions sonores, décor permanent des jours d'après, m'ont plus pénétré encore que les images : le bavardage d'experts qui avaient tout prévu, le chant des sirènes, le bruit des balles, des morceaux de silence.

Playlist macabre qui ne me quitte pas.

Sur mon écran plasma, le président parle fort pour tout couvrir de sa voix autoritaire mais sobre, élaborée par son équipe de conseillers en communication. Dans son costume de chef de guerre trop cintré, il est si fier de révéler aux Français sa nouvelle pirouette pixelisée : gloire à la riposte, guerre sainte revisitée, ultratechnologique, sans mort ni fracas, sans histoire ni traumatisme, sans drame tout court, isolée des conséquences. Il nous déballe en avant-première sa guerre rentable, combat *low cost* et *high-tech*, aussi efficace contre les ennemis de la République que contre la récession. C'est tout ce qui compte pour l'opinion, tout ce qu'on lui demande : que ça rapporte. Une guerre des gains, ça a plu à tout le monde.

Seule variation dans la nouvelle formule, la guerre ne nous appartient plus : c'est celle des drones. Le président-télé-achat nous les présente comme l'arme miracle qui fait autant saliver les conseils d'administration des ministères chargés d'évaluer le budget de l'armée que les moins de douze ans à l'approche de Noël. Il y en a pour tous les goûts, des drones : ceux qui lâchent des bombes à eau, ceux qui lâchent des bombes tout court. Faites votre choix.

Avec les drones, l'offensive dernier cri démarre par une série de frappes aériennes bénies par la communauté internationale. Rapidement ils prennent la relève et traquent l'ennemi demeuré enfoui dans les décombres. Armes parfaites de par leur nature hybride : les drones fliquent, identifient, pourchassent – leur œil est une caméra HD qui flaire tout – puis éliminent – de leur bouche sort la Vérité. (Prenez le V de Vérité, inversez-le, et vous trouverez la forme d'un missile Hellfire, plongeante, nasale et destructive). Taux de

11

réussite : 99,99 %. La guerre se change alors en une succession d'attentats, d'éliminations qui s'enchaînent. Cibler ainsi permet de toucher les nœuds des réseaux ennemis : c'est comme attaquer un corps dans ses articulations. Une fois celles-ci brisées, le reste s'effondre. Il n'y a plus qu'à attendre. D'où la surveillance accrue, via satellite ou Internet, des « formes de vie » des territoires à risques, en quête des cibles prioritaires. La filature peut durer des semaines avant le massacre. Le missile est suivi des yeux jusqu'à l'impact.

Et dans tout ça, qu'est-ce qu'on fout des populations civiles ? Face aux inquiétudes de la bienpensance, le président rassure et promet que ces armes modernes sauront discerner les bons des méchants. Puis de toute façon, ceux qui resteront là-bas seront foutus, morts en silence ou terrés dans l'oubli. Et les survivants viendront s'écraser contre les murs clos de l'Europe – *Télé 7 Jours* l'annonce déjà.

La posture officielle scande les bienfaits du « moindre mal ». L'aversion pour le risque, la phobie de la perte justifient l'emprise absolue du drone censé sauver des vies – celles de nos soldats qu'il n'expose pas. Comme dit le chef dans tous ses états, « c'est la façon la plus humaine de mener le combat en cours ». En échange, force est d'accepter les dommages collatéraux : un civil pourra mourir « par erreur ». Ça arrive. Culminant à six mille mètres au-dessus de sa cible, il faut pardonner au drone ses écueils en matière de précision. De toute façon : « *Nobody dies except the ennemy* » – slogan cousu sur l'écusson des pilotes de drones de l'armée américaine, la première à démocratiser l'arme miraculeuse.

Dans les rues, juste après l'annonce présidentielle, quelques *Marseillaise* se sont fait entendre. Très vite tout est retombé. Le patriotisme, comme le vivre-ensemble, ça fatigue vite. Il reste les drapeaux – bleu-blanc-rouge – agrippés sans conviction à quelques fenêtres. Leurs couleurs vives ont pâli, brisées par des régiments de pluie.

Depuis l'entrée en guerre : plus un vivat, ou presque, la marée s'est retirée. Parfois un gros titre murmure, le temps d'un flash info, l'écho d'une contre-offensive lointaine, présentée comme un succès stratégique au cœur du « théâtre des opérations ». Ou bien, un semblant de sondage, un micro-trottoir du dimanche réinstallent la peur en page une. Mais ça ne dure jamais longtemps – le chômage, une grève, un fait divers reprennent le dessus, invariablement.

Cette nouvelle guerre, on ne la voit pas. On finit par ne plus y croire. Elle ne fait pas de fumée, elle soupire, juste assez pour se cacher de nos vies. Elle s'absente.

2

À travers la grande vitre, j'ai vue sur la dalle qui recouvre le quartier de la Défense, la sépare définitivement de la terre. À cette heure, les Escalator sont vides. Seul veille le béton armé. L'armée siège ici, tours B à E, en lieu et place des grands empires cotés en Bourse. Nous, néosoldats, sommes devenus les plus rentables, les essentiels. « La locomotive économique de tout le pays », comme le martèlent les médias – c'est ce que le système nous pousse à avaler.

Je suis un hacker au service de l'armée, un soldat de la France 2.0. Je programme les drones, je veille à ce que les pilotes à mes côtés puissent perpétuer leurs attaques, bien au chaud, à plusieurs milliers de kilomètres de leurs cibles.

Toute la cellule exécutante dépend de moi. C'est une famille nombreuse : le pilote qui dirige et télécommande l'engin, l'opérateur qui surveille les capteurs et relève leurs données, le *screener* qui analyse la vidéo, le technicien qui corrige les bugs, le commandant qui rédige les rapports et transmet le feu vert venu d'en haut... Grâce à moi, rien ne leur échappe depuis leur moniteur, cockpit terrien toutes options incluses : joystick ultrasensible, écran HD et siège massant en similicuir. Il faut avoir le cul à l'aise pour pratiquer ces filatures lointaines. Éviter les courbatures et les fourmis à l'équipage statique. Vous voyez cette tache jaune à l'écran ? Est-ce un cœur ? Ou une bombe ? L'homme envoie le drone, son alter ego de la race UCAV (Unmanned Combat Air Vehicle), pour la détruire d'un coup de frappe signature, impersonnelle et intraçable. Le meurtre télécommandé, ultime étape prométhéenne.

Je protège tout ce beau monde en évitant que des hackers ennemis prennent d'assaut les moniteurs, retournent les drones contre leurs maîtres. Je crypte leurs transmissions pour que personne ne les intercepte. Mon job consiste aussi à réduire la latence du signal. De mon clavier, je m'acharne pour que les données parviennent en simultané à l'écran, qu'il n'y ait pas de décalage entre la réalité de la *safe area* du moniteur et celle, hostile, du terrain. Sans moi, le pilote vise une situation toujours antérieure. Sans moi, il est condamné à être en retard sur sa cible.

Chaque matin, après la réunion de l'état-major, on nous remet la *kill list* – tableau Excel avec toutes les cibles du jour. Sacrifice bureaucratique : les chefs décident de qui va mourir. D'habitude le nombre atteint environ mille trois cents, tous continents confondus. Il peut s'allonger en cours de route. Ligne par ligne, à la chaîne : nom, prénom, sexe, description, localisation, taux de résistance. Proies à répartir entre les quatre tours de la Défense. Et leurs deux cent vingt moniteurs.

Et au-dessus, planant : moi. Chef d'orchestre aux mains liées.

3

Cette guerre high-tech, sans morts et sans récession, est devenue tendance. Elle satisfait tout le monde. Quelques enquêtes de presse ont cherché à montrer la portée aléatoire des drones, des ONG ont même accusé la machine de tuer plus d'innocents que d'ennemis. Mais ces opposants trop légers ont perdu leur audience face aux bénéfices inespérés pour la France : contrats, accords, courbe de l'emploi enfin inversée et même, en bonus, de la croissance. Les plus sceptiques ont fini par se taire : il ne fallait pas tout gâcher.

Seuls les soldats et les vieux lobbys de l'armée, échaudés par le sursaut d'engagés volontaires post-attentats, ont refusé d'abolir leur doute. Dans la croyance aveugle en ces armes automatiques, ils ne voient que le revers de la médaille : la retraite forcée pour tout ce qui a un cœur. Ils dédaignent ce combat cynégétique, sans front, où la guerre n'est plus qu'une chasse à l'homme mondialisée, et ce malgré la justification du gouvernement : ce sont les terroristes qui ont commencé les premiers à attaquer sans frontière. Cette « contre-insurrection par le ciel », riposte sur mesure, serait « méritée » : projeter du pouvoir sans projeter de vulnérabilité, remplacer la conquête territoriale par le contrôle technologique. En d'autres termes : inverser le contrat de guerre. Avant, le soldat qui tuait acceptait d'être tué. Il était bourreau et victime à la fois. Le drone n'est que bourreau. Caché derrière lui, le soldat tue mais n'est jamais tué, ultime pas chassé vers une guerre pour toujours asymétrique.

Les militaires vieille école ne digèrent pas cette mutation. Ils avaient pris l'habitude de mourir et veulent mourir encore. Ils rejettent les distinctions offertes aux pilotes et aux opérateurs qui ont cédé la bravoure du combattant pour la lâcheté de la préservation humaine et économique. Distancer la mort – quelle idée contre nature ! À coup de grèves et de menaces syndicales, inédites sous les drapeaux, ils ont eu gain de cause. Par peur que la contestation devienne populaire et engendre l'arrêt brutal de la production fructueuse de drones, les politiques se sont sentis obligés de redéployer des troupes au sol. Dans la lutte, il faut des martyrs de chaque côté. L'armée ne supportait pas que des engins lui court-circuitent son honneur.

Moi je n'ai jamais eu d'honneur – ça simplifie la vie.

4

L'idée d'être *impliqué* me dégoûte.

Tout ce qui m'a toujours importé, c'est de vendre mes programmes au plus offrant. Je suis un pirate pragmatique. Le verbe Avoir plutôt que le verbe Être. C'est pour ça que je n'ai jamais plu aux autres hackers : ils n'aiment pas mon caractère mi-cuit, ma tiédeur toujours critique face à leur surplus d'engagement. Pour eux, le combat doit être absolu... ou ne pas être.

Hacktivism : bien grand mot qui résonne creux – des promulgateurs de vérité. Je les connais par cœur. Tous passent dans le même moule, par la même brouette, celle de la lutte à outrance : actions cryptées, menaces vives, fantasmes du passage à l'acte, utilisation raisonnable de la violence, communication agressive, plaisir des mains sales, complaisance dans la guérilla numérique...

Dès le début de la guerre, ils ont commencé à se faire entendre place Beauvau au sein du mouvement #NuitRemue. Des rastas blancs qui voulaient faire la révolution et refonder le monde. Des fonctionnaires au chômage qui montaient des tentes dans les odeurs de merguez et de lacrymogène. Des types qui haïssaient leur gouvernement mais qui recevaient toujours ses aides sociales. D'autres qui prônaient la grève générale mais qui continuaient à bosser en freelance... Bref, des révoltés en train de tomber amoureux d'eux-mêmes. Le tout dans un amas de hashtags, de statuts Facebook, de tweets : car faire la révolution est une chose. Mais se montrer en train de la faire est encore plus important. Paris nous l'a révélé après les attentats : un engagement réduit aux couleurs d'un drapeau sur Facebook, des hommages à la carte « Je suis... Pray for... Debout pour... Fight for... Tous unis avec... Kiss for... Vive l'amour... No more spoilers... Dead is our ennemy... À remplir selon vos envies », des phrases chocs sur Twitter, des terrasses LinkedIn pour vendre son CV de néorésistant, des poings levés sur les Instagram de la gauche tapenade... Mais peu d'actes. Encore moins d'idées.

Moi je ne vote pas, je ne paye pas d'impôts, je n'ai pas de numéro de Sécu. Je suis invisible. Et je me tais.

Au milieu de cette réaction sans réflexion à un chaos qu'ils ne comprennent même pas, certains hackers – les plus bavards surtout, pas les plus talentueux – se sont mis à propager des slogans antidrones. Ils condamnent un « terrorisme d'État », une « continuation du colonialisme », une « modernisation des attentats à la bombe », un « massacre des innocents », une « ingérence intolérable », une « communauté internationale qui ferme les yeux ». Même l'ONU a pris le pas en menant des enquêtes sur l'éthique des armes automatiques. Les politiques, bien emmerdés, ont riposté avec la création de « drones humanitaires », machines qui bombardent des vivres au lieu de missiles.

Les vrais *hacktivists* – si cette race existe vraiment – ne se rencontrent jamais physiquement, ils n'ont pas besoin d'aller parader sur les pavés et les réseaux sociaux. Quand on parle de résistance, on imagine des mots de passe et des retrouvailles crépusculaires au fond des catacombes. Aujourd'hui, il suffit d'un compte Skype piraté pour esquiver le dépistage, d'un serveur discret pour échanger sans craindre les représailles. Toutes les traces sont codées, inviolables, conservées dans des disques durs transformés en coffres-forts HD. Malgré ce que l'on prétend à la préfecture, la « cyber-police » est une blague, une division d'incapables. Leur traque est perdue d'avance. Tout ce qu'elle peut espérer, c'est un flagrant délit ou sinon se trouver une bonne taupe, la choyer avec un joli pactole et prier pour qu'elle soit fiable.

Taupe – petit mammifère déshonorant, je t'ai toujours bien aimé. J'ai toujours utilisé mes aptitudes numériques pour le bien-être de mon compte en banque. À seize ans, je vendais des logiciels pour pirater des cartes bleues via Paypal. À dix-sept, je dépucelai une faille dans Instagram et forçai l'entreprise à me faire un gros chèque en échange d'une update de leur système de sécurité. Ils ont même voulu m'embaucher mais j'ai dit non : sur 4chan, forum sans lois, clé de voûte de l'Internet pirate, vendre des photos volées de célébrités m'apportait plus de fric en un jour que faire l'agent de sécurité pour réseaux sociaux en détresse.

Le forum 4chan, l'arène mère d'où les Anonymous prirent leur envol et mirent au point la structure mouvante de leur résistance numérique… Je regardais ça de loin, comme un paysage lunaire qui ne m'appartiendrait jamais. Une mauvaise étoile que je gardais à distance.

J'ai toujours préféré bosser pour ma gueule que pour leur « bonne cause ». Mais entre-temps, j'ai rencontré Drexciya.

5

Elle portait alors un autre nom. C'était juste avant la guerre. Elle n'avait pas encore ressenti le besoin d'un pseudonyme, avatar cyber-punk. Elle était concrète : des jambes fines un cul parfait des seins vulnérables des yeux verts une bouche à elle et le reste. Pour la première fois, je ressentais une excitation pour quelque chose situé hors de l'écran.

Elle m'est tombée dessus bêtement comme font les anges, dans un hall d'immeuble où nous nous étions réfugiés tous deux lors d'une énième fusillade intra-muros. Loin des cris, je l'ai eue au regard car j'ai su qu'avant elle je n'avais jamais regardé comme ça.

La nudité lui allait bien. Tout en elle était *imprenable*. Lorsqu'elle s'offrait, c'était beaucoup plus fort. Je dirais même – *c'était pire*. Le premier soir, elle m'embrassa. Le lendemain elle se tenait droite au milieu de ma chambre, astre fixe autour duquel j'effectuais mille révolutions frénétiques, subissant sa gravité. Je voulais tout lui montrer, tout dévoiler. Jusque-là, ma vocation m'avait condamné à l'anonymat (à l'époque je faisais semblant d'aller à la fac de chimie et exprès de redoubler pour profiter le plus longtemps possible du discret statut d'étudiant) mais à elle, je voulais tout révéler. Je lui ouvrais mes entrailles, c'est-à-dire mes programmes, mes ordinateurs, mes clefs USB, mes logiciels, mes univers à clics dont elle était devenue la déesse en chair, l'être féminin.

« *Dream baby dream, you are my dream* » − l'un dans l'autre nous écoutions le groupe de post-punk Suicide pour repousser le sommeil. « *Keep that dream burn for ever baby...* »

Je l'initiai à mon monde. Elle se tailla rapidement une petite renommée chez mes camarades hackers impressionnés par son verbe dénué de toute concession. Elle aimait me rappeler qu'ils la trouvaient plus courageuse que moi. C'est à ce moment qu'elle prit son pseudo − Drexciya, une seconde peau − pour s'immiscer complètement dans l'univers que je lui avais entrouvert.

Je l'ai su tout de suite : j'allais couler, à pic, dans les eaux de la dévotion. Je n'existai bientôt plus que par elle. La rendre heureuse devint l'excuse à toutes mes mollesses. Je ne touchai plus mon clavier, je ne créai plus rien – je ne voulais qu'elle. Drexciya était pour moi l'algorithme originel.

Drexciya. Désormais, ce pseudo m'évite d'avoir à articuler son nom : il est comme un garde-fou, pour que jamais ne reviennent le désir, ou pire, l'envie d'y croire à nouveau.

Après la déclaration de guerre, Drexciya a voulu faire *quelque chose* – j'ai suivi. À force de ne pas avoir d'avis, j'ai emprunté le sien : l'engagement anarchiste s'est révélé à moi. Elle m'a fait comprendre qu'il valait mieux pour notre couple que je sois contre cette guerre. Je me suis rapproché avec elle de cette « mouvance hacker », comme disent les journaux. Ces Dantons numériques me fatiguent avec leur bonne conscience et leurs érections causées par un soupçon de coup d'État, mais Drexciya a insisté. Comment résister à ses fantasmes de résistance ?

Sans elle, je n'aurais pas pu copiner avec cette ethnie numérique, persuadée de sa supériorité par la crainte qu'elle inspire à tous. Ces radicaux du Web rendent virale la terreur et font trembler entreprises comme États. Les premières les embauchent, les autres les foutent en taule – chacun ses goûts. Les hacktivists sont devenus la priorité de la répression policière : le gouvernement craint qu'ils parviennent à rendre la guerre des drones à tout jamais impopulaire. Et tout ce qui est impopulaire vacille vite dans notre société du sondage.

En réalité, comme tous les monstres, les hackers profitent d'une méconnaissance à leur sujet pour décupler leur puissance. Mais dans toute mythologie enfantine, le mage noir n'est qu'une ombre sous le lit, le troll se révèle en plastique. Cette secte digitale pense qu'elle peut accéder à toutes les données, crocheter les cryptages, dérégler les ordres, perturber les réseaux, divulguer les vilains secrets de l'armée. Moi je détiens leur faille. Je suis l'un des plus performants derrière l'écran, l'un des seuls à pouvoir vraiment perturber un système informatique complexe en le détraquant de l'intérieur. Aucun ne peut se targuer d'être aussi habile.

Ce sont juste de bons communicants, armés d'un masque en carton Anonymous, et d'une multitude de comptes Facebook pour noyer les pages officielles des politiques sous un amas de commentaires insultants. Tout juste capables d'envoyer des fausses alertes à la bombe et de vider, le temps d'un après-midi, un lycée.

Je leur reconnais une certaine qualité dans le trouble et ses diverses ramifications. Une ardeur qui endoctrine disciples et autres suiveurs via Google Chrome. Puis quand le crowdfunding et les pétitions échouent, ils possèdent le talent de rameuter du nombre autrement. Se faire bruyants, violents quand il le faut, devant les caméras. Leurs manifestations, pacifistes sur le papier, dégénèrent toujours, comme au lendemain de l'officialisation du conflit où l'on a vu s'affronter hackers militants et étudiants contre CRS. Fatigue lacrymogène.

Mais comme dans tout fanatisme, la naïveté règne : les hacktivists sont persuadés qu'Internet va recoller les morceaux brisés du corps social, que la Wifi va restaurer l'action politique et l'engagement d'une jeunesse désenchantée et désencartée. Pour eux, Facebook est le nouveau parti politique global et moderne appelé à faire gouverner sur un pied d'égalité les ordinateurs du monde entier. Ils oublient qu'une bonne intention ne va rarement plus loin qu'un statut, que mille likes n'ont pas de poids tangible.

Peu à peu, la mobilisation a fini par faiblir, débandade prévisible. Les drones avaient déjà conquis le cœur des mous. Les autres, à cœurs secs, aptes aux actes, beaucoup plus rares, vrais loups solitaires, restent discrets, hors des meutes et des bases. Je suis un de ceux-là.

31

Seul bug : la femme aimée a le don de faire rougir jusqu'à vos idées. Je ne l'avais pas vu venir. J'ai fini par accepter d'en être… Officialiser mon nouveau statut. Je n'avais pas le choix : ça l'excitait, plus que toutes mes prouesses des grands soirs. Plus je m'engageais au sein des hacktivists, plus elle m'ouvrait ses cuisses. Dans sa fente vibrante, la moiteur qu'engendrait ma position inédite de résistant antisystème rendait plus fier et plus dur encore mon étendard de chair, gaule pour une fois pas réduite à la précarité du sexe virtuel.

Cela n'a eu qu'un temps. J'ai manqué d'endurance. J'ai vite débandé, je suis redevenu mou en elles – Résistance et Drexciya, inséparables à jamais dans mon esprit. Je n'avais pas assez d'expérience pour ce plan à trois. Comment faire mouiller une femme quand on a toujours nagé près du bord ?

Je reste trop tiède, dans tous les domaines. Je n'ai pas pu m'impliquer tout entier dans la croisade des enfants-geeks. Elle a beau me rappeler les jeux de l'enfance où personne n'écoute le chef, j'ai passé l'âge.

Cette posture demi-écrémée m'a toujours empêché d'être dans l'action. Faire acte de présence aux interminables AG via Skype où l'on est forcé de porter une cagoule ridicule – passe encore… Je veux bien les aider à faire sauter les verrous de Youtube qui censure leurs vidéos antidrones ou donner un coup de main pour crypter les communications, action rendue plus difficile par les nouvelles lois de l'état d'urgence qui mettent à nu les adresses IP.

Mais lorsque mes petits camarades ont voulu passer aux choses sérieuses, pirater la base de données du ministère de la Défense et déverser sur les forums l'identité d'agents en mission et les relevés satellites des positions des drones sur le terrain, j'ai décliné l'offre qui, privée de mon talent, est devenue caduque. Ma lâcheté leur a fait mal – je l'ai baptisée sagesse.

Drexciya ne m'a pas attendu pour l'apprendre, les autres lui ont tout raconté, pensant qu'elle était la seule à pouvoir me convaincre, encore une fois, de changer d'avis. Elle n'a même pas essayé.

Trois jours plus tard, je surprenais une batterie d'émoticônes <3 sur l'écran de son portable. Ils ne m'étaient plus destinés. Adultère numérique.

6

Selon moi, il existe deux actions d'une pureté
absolue : rompre et enfanter.

Lendemain de rupture. Je me suis retrouvé dans
un de ces hôtels anonymes, près de la gare du
Nord, le temps de trouver un appart. Pas facile
pour les gens comme moi, j'ai toujours eu les
revenus mais pas les fiches de paye. Il faut « monter
un dossier, trouver un garant », m'a expliqué un
agent immobilier. Cette action formatée, visant à
prouver à un propriétaire que la parole locataire
sera toujours solvable, me détend, offre un répit à
ma pensée assaillie.

On a beau l'avoir malaxée et appréhendée en soi
telle une vieille tumeur molle, la séparation finit
toujours par t'anéantir. Je n'ai pas d'amis dont les
mots pourraient m'aider à évincer ce goût de
cendres sur mes gencives. Ni le cran de me
déployer dans la nuit pour trouver une autre

bouche qui voudrait se faire prendre et partager la saveur de sa salive, dentifrice à mes maux. Il ne me reste que la fuite.

J'ai vidé mes placards en une matinée. À part le matériel informatique mon existence est légère. Toute une vie en trois cartons, avec, inscrit dessus, le site de la boîte qui me les a vendus : demenagerseul.com. Retrouver ma solitude originelle me procure un semblant d'énergie – j'avance sous perfusion de haine, mais j'avance quand même. J'élabore la contre-offensive pour éradiquer Drexciya de mes endorphines. L'idée me vient vite, elle doit être en moi depuis le début je crois, comme une sortie de secours prévue si mon expérience de résistance échouait. Bien m'en a pris.

ME RENDRE. Proposer mes services à l'armée des drones. Rejoindre les ennemis de la tribu toxique qui m'a banni. Je la vois ma vengeance, bien droite, face à moi, en capitales, d'une netteté imparable.

Depuis longtemps, les recruteurs du Pentagone made in France me tournent autour. L'un d'eux a même laissé sa carte sous mon paillasson. Une belle prime attend le chasseur de têtes qui saura me convaincre de rejoindre leurs rangs. Elle a besoin de moi, l'armée. Je suis la cible du nouvel appel d'offres, un « renfort technologique vital », comme ils disent. Mon profil est idyllique : hacker talentueux mais porté sur la monnaie donc plus facile à soumettre, à contrôler. Je sais qu'elle m'attend, à bras ouverts. Une cellule a même été créée pour servir de foyer aux retourneurs de veste de mon espèce : le « think-tank hacker ».

Se rendre, ce n'est que prendre le chemin le plus court. Je me suis levé, je me suis rasé, j'ai fait mes lacets et j'ai foncé à l'accueil du ministère de la Défense. Le bâtiment est tout neuf. Paquebot de métal, il scintille jusqu'à aveugler ceux qui s'en approchent de trop près. Sur le pont, pas de petits vieux habitués aux Costa Croisières, mais des militaires qui m'accostent et me fouillent jusqu'à la moelle tous les cinq mètres – inutiles préliminaires consommés à outrance. Je dois leur justifier ma venue, et sans laissez-passer officiel, je mets une bonne heure à atteindre la porte énorme, confectionnée pour un géant absent. Le hall en marbre glissant ressemble à celui d'une banque suisse, cathédrale de froideurs où même un chuchotement nécessite des frais de dossier. L'armée reste une administration comme les autres. Il faut faire la queue pour enfin mettre la main sur une secrétaire au garde-à-vous derrière son standard. La pauvre est toute perdue car ma reddition ne correspond à aucun formulaire à remplir. Sa formation n'avait pas prévu mon cas de figure. Elle doit informer son supérieur et me demande de patienter.

Ils ont tellement besoin de moi qu'ils n'osent pas me faire attendre trop longtemps. Je suis reçu, poliment, par le général qui s'occupe des hackers convertis. Avec ses lunettes à la mode et ses cheveux courts sur les côtés, longs au-dessus, il ressemble à n'importe quel noctambule bataillant pour rentrer dans une boîte de nuit parisienne. Ses chefs l'ont même autorisé à porter une barbe de hipster. On sent qu'il a été placé là pour prouver que l'armée sait aussi parler à ma génération. Mais derrière le visage encore jeune et les clins d'œil séducteurs, le discours ne change pas – entre promesses et incitations à la rage patriotique. « Tes petits copains criblés de balles, ça t'a pas plu. Viens avec nous, ensemble on va les venger. Ensemble on va montrer aux fanatiques ce que ça fait de massacrer la jeunesse parisienne. Tout seul, t'es impuissant. Rejoins-nous. Rends-toi utile. Au passage, on en profitera pour te nettoyer l'âme. Et te trouver une bonne situation. D'ailleurs... tu t'y connais en drones ? »

Elle est donc là, ma mission : les drones. Toujours eux.

Même pas le temps de lui répondre, il me sort une pile de contrats déjà toute prête. Il n'y manque

que ma signature par douzaines. À chaque coup de paraphe, je vois ma peau changer de couleur, lentement, pixel par pixel.

Chez les hackers, nous n'avons pas de code d'honneur mais trois couleurs : NOIR, GRIS, BLANC.
NOIR, bannière des pirates les plus extrêmes – seul l'enfermement entre quatre murs ou la mort peuvent les empêcher d'agir.
GRIS, purgatoire des plus malins, jongleurs de l'entre-deux, répondant aussi bien aux commandes illégales qu'aux missions officielles.
BLANC, ceux qui ne bossent qu'au service des institutions.

Mon gris blanchit à vue d'œil. Ma nouvelle peau sera lis ou opale, translucide, laissant paraître quelques veines bleues – lignes de soumission.

7

Dès les prémices de ma dépigmentation, j'ai essayé de me convaincre du bien-fondé de ma décision : rejoindre le parti des chuchoteurs, faux anonymes, vraies balances désastrologiques, compagnons des services secrets et policiers, sources proches de tous les dossiers, chevaux de Troie. Ma trahison sans état d'âme incarne la schizophrénie de mon espèce : je ne suis pas le seul qui passe d'un camp à l'autre. Peu de hackers restent hacktivists toute leur vie. Il faut bien à un moment penser à la maison en banlieue, aux vacances des futurs enfants, à l'assurance de la bagnole. Il y a des hackers bourgeois. D'autres qui aspirent à l'être. Demeurer éternellement révolté, antisystémique, engagé solitaire, c'est du suicide − ce n'est pas moi.

Nous sommes une grande famille décomposée à s'être rangée.

Les Scaphandres parcourent Twitter à l'aide de robots pour dénicher les comptes terroristes et les bloquer. Plus ils plongent en profondeur, plus ils sont doués : certains Scaphandres s'enfoncent jusqu'au Dark Web, partie immergée de l'iceberg du Net, en quête d'adresses IP malveillantes. Ils savent aussi trouver les serveurs qui hébergent les sites pirates pour les contraindre à fermer.

Les Binoclards, eux, sont spécialisés dans le logiciel espion. Il leur permet de s'immiscer sous la peau de l'ordinateur, dans les moteurs de recherche, pour sonder mots-clefs et historiques, flairant le kamikaze ou le pédophile.
Une fois le coupable repéré, les Smith attaquent. Ces flics du Web maîtrisent l'art martial numérique brut. Par exemple : à coup de milliers de requêtes, ils asphyxient tout un système dissident.

En cas de résistance, il reste les Copieurs, démineurs du cryptage. Aucune clef, aucun bouclier ne leur résiste. Ils trouvent toujours un moyen de forcer l'ouverture d'une session, même la plus frigide.

Enfin, l'élite des Programmeurs, ou *Makers*, dont je fais partie. Les plus recherchés pour leur habileté sur les deux versants de la vie, l'écran et le reste. De vrais donneurs sanguins pour robots.

Nous sommes plus que de simples hackers dépendants de l'écran, car nous savons bidouiller hors de lui.

Et puis une fois cette guerre épuisée, *game over*, quand l'armée n'aura plus besoin de moi, je changerai encore de peau, je trouverai un poste confortable dans le privé, au sein d'une banque timide au sujet de sa liste de comptes offshore, ou chez un géant du Net inquiet pour le devenir de ses bases de données. Peu importe, pourvu que ça paye.

En attendant le futur, je me suis fait couper les cheveux très court chez un barbier marocain du boulevard de la Villette. Il faut bien que mon nouveau métier se remarque, même si le crâne rasé dérange le miroir de ma salle de douche – mon reflet dénaturé oblige mes ongles à s'enfoncer dans mon crâne jusqu'au sang, nouvelle habitude matinale entre le bol de céréales multicolores et l'étron bien noir, salutaire.

Après le passage de la tondeuse, j'ai découvert une couche d'épaisses pellicules blanches agrégées à mon crâne. C'est bien le signe que quelque chose ne va pas : je suis une planète malade, un astéroïde dont la croûte s'effrite. Le barbier m'a dit dans son mauvais français que mes cheveux commençaient à s'autodétruire, à s'étouffer d'un commun accord, et que si je n'y faisais rien, ils quitteraient pour toujours le sommet de ma tête. 8 euros pour ce diagnostic – la bonne affaire. J'imagine ma chevelure qui pousse à rebours, vers l'intérieur, comme une forêt en quête d'espace souterrain pour échapper à la fatalité qui la ronge. Je cherche les causes de ce mal : quelque chose en moi n'arrive pas à sortir, à s'exprimer à l'air libre, alors je le conserve telle la sève prisonnière, jalousement, loin de la lumière. Pourriture intime.

Drexciya aimait bien ma tignasse plaqué or délaissée de soins : elle l'attrapait parfois pendant l'amour, s'en aidait pour guider mon corps trop timide vers les espaces désirés. Elle me contenait dans ses coins, à elle, par les poings, signes d'un désir toujours fermé, sur elle.

« Au bureau » – j'use de cette expression avec une banalité qui me dérange –, ils n'ont même pas vu que j'avais fait l'effort de ressembler à un jeune conscrit. Il faut dire que je passe inaperçu dans les couloirs aux parquets à motifs galactiques, répliques épaisses de la Voie lactée. Je n'ai pas la démarche bruyante des pilotes de drones, qui portent haut et fort leur menton bien taillé et leur suprématie. Les pilotes s'engagent en CDD : six mois pour abattre cent convois, éventrer cent ennemis, tuer mille cibles. Puis on revient à sa vie, aux honneurs et à la réserve. Jusqu'au prochain tour, contractuel. Ce sont des entrepreneurs du conflit, pantins des start-up de la guerre moderne. Ils sont dopés à l'idéologie dominante de l'armée : le « hit and run ». Frapper fort, d'un seul coup, mais ne surtout pas s'attarder. L'embourbement effraie.

Mes journées sont silencieuses : l'obéissance, au rapport, ne fait pas de bruit. Parole intime abolie – pas besoin d'expérience pour comprendre que c'est le jargon qu'il me faudra garder le plus longtemps possible dans l'armée où chaque mot doit être à sa place pour ne pas être suspect. Donc, bouche close.

8

Malgré mon contact quotidien avec le soldat, je ne serai jamais l'un des leurs. Au mieux je suis apte à faire semblant quelques dizaines d'heures par semaine – pas plus. Les ordres me fatiguent, phrases trop sèches, trop courtes, comme si les mots eux-mêmes s'étaient mutilés par honte d'être prononcés.

Surtout, je crache sur le respect polymorphe envers le gradé qui s'écoule de tous les pores des soldats, dévots de la lèche : fascination pour leur capitaine, émoi pour le lieutenant, passion du général. Ils érigent le gradé en père de famille, seul capable d'apaiser leur besoin intrinsèque d'infantilisation. Ils agissent comme des orphelins avec leur supérieur, l'aiment à la folie jusqu'au jour où sur un coup de tête, papa kaki refuse de les prendre en mission. Le sentiment d'amour bascule alors, dessale, devient haine. Ils détournent soudain le regard devant leur dieu destitué, le ramènent au sol – à leur hauteur.

Je préfère mon mépris intangible, attitude plus solide, à sens unique.

Au fil des jours, la routine mute en ennui, virus qui terrasse tout. Peu à peu, je me désintéresse des objectifs multiples en apparence, identiques sous la croûte – tuer, toujours tuer –, des briefings trop longs qui dévorent mes matinées. Chaque acte nécessite l'approbation écrite de plusieurs bureaux, de plusieurs chefs. L'armée a un organigramme resserré, anus interminable. Tout m'y ennuie comme tout m'ennuyait dans la résistance et son héroïsme formaté. Je n'ai ma place nulle part. Avec les pilotes, c'est encore pire. Ils font semblant de croire que je ne vaux rien alors que sans moi leurs claviers déraillent, leurs actions périment, leur avenir est foutu. Sans moi, ils manient des épées en mousse, taille S.

Enfant, j'aimais particulièrement *Porco Rosso*, dessin animé du samouraï Miyazaki. Un pilote d'avion changé en cochon, chasseur en prime, traque les pirates dans l'Italie de l'entre-deux-guerres. Il y a du gladiateur volant chez ce défenseur des terres irrédentes, ennemi d'un fascisme montant, éternel cow-boy solitaire dans les nuages.

48

Après quelques mois dans l'armée, je sais que ce porc est plus honorable que les hommes qui me bousculent dans les couloirs pour marquer la vigueur qu'ils ont perdue. Je m'attendais à côtoyer des êtres capables d'héroïsme, peut-être les derniers ici-bas. Je n'ai vu qu'une race en faillite.

Autrefois, l'aviation était le grade le plus élevé de l'armée, une secte pour fous célestes drogués à l'adrénaline. Aujourd'hui les pilotes sont tombés du ciel : cloués au sol, enchaînés à la borne de jeux d'arcades qui contrôle les drones. Ils passent leur journée à viser des ennemis minuscules en deux dimensions. Le satellite trouve la cible à leur place, mes programmes leur évitent toute possibilité d'erreur, le drone tire sans hésiter, tue trop vite, donne l'impression que la commande d'attaque est inutile. La machine a anticipé l'ordre humain censé maîtriser sa volonté.

Parfois, après que le pilote enclenche le tir, dans les infimes secondes qui précèdent l'impact, un enfant apparaît à l'écran, là où on ne l'attendait pas. Il est trop tard pour arrêter le missile. Le pilote devient le spectateur impuissant de l'explosion dont il a été le détonateur. Il aimerait à cet instant suspendu que ce ne soit qu'un jeu Playstation, revenir en arrière, à sa dernière sauvegarde. La voix d'un gradé retentit alors dans son casque, tente de le rassurer : « T'inquiète… Rien qu'un chien. » Le pilote serre les poings. Il n'a pas bougé de son siège. Au même instant, sa femme, chez Auchan, lui demande par texto ce qu'il désire se foutre dans le ventre le soir même. Mais avant de dîner, il faudra encore en buter d'autres. Puis il prendra sa voiture, affrontera les embouteillages, pour redevenir père de famille et mari aimant, les mains toujours impeccables. Le sang de ses victimes ne tache rien, sauf ses névroses nocturnes.

Soldats sans risque, pantouflards pour guerre assise — télétravailleurs qui m'appellent quand ça ne marche plus, que le drone ratisse trop large ou que le satellite se dérègle. Mes remèdes, antibiotiques à clics, et c'est reparti. Leur illusion de puissance peut reprendre.

Mais elle a ses limites, l'illusion. Le corps commence par faire grève, sature, se tord, se bloque, se révolte à coups de burn-out, sombre dans le stress post-traumatique, s'éteint. La médecine militaire contraint les pilotes à un suivi psychologique hebdomadaire pour les aider à résister à eux-mêmes — sans trop de résultats. L'autre jour, un des leurs a dégueulé sur son écran. Un autre a vu ses mains se transformer en pierre, paralysie foudroyante, il chialait comme un môme privé de son jouet. Ce n'était pas beau à voir. On l'a envoyé en repos forcé, loin du regard du reste des effectifs. Même privé de corps à corps, le pilote de drones souffre tout autant qu'un poilu dans la nuit sans nuit d'une tranchée.

Et moi, chaque matin, je prends plaisir à programmer les logiciels qui les pourrissent de l'intérieur.

9

Mon écran n'a plus d'éclat. Une fois passé de l'autre côté, celui de l'officiel, du gouvernemental, il a cessé de me servir d'échappatoire inviolable. Un banal outil de travail à manier de 8 h 30 à 19 heures, rigoureusement, comme un muscle de sportif, un pénis d'acteur porno. Sans plaisir et sans interdit. Chaque mouvement informatique est désormais condamné à l'utile. Le disque dur me dégoûte, le clavier m'attriste, mes propres programmes me donnent de l'acné : elle est là, ma punition divine.

Longtemps je me suis attelé à fuir la vie réelle. Je me considérais comme mal adapté, pas assez fort. L'aspect décisif de chaque acte me terrifiait. Sur Internet, rien n'est définitif, tout peut se modifier comme sur un blog. Il existe toujours une astuce pour revenir en arrière, une évasion sous forme de Ctrl+Z. Paradoxe du Web qui n'oublie rien mais où tout peut se réécrire. Avant j'étais élu :

il me suffisait de frôler un clavier pour créer un monde taillé à mon image sans avoir à réfléchir. Pour mieux faire, j'avais aboli toute pensée. J'avais ça dans le sang. Je fais partie d'une génération pour qui toute technologie est organique. C'est même l'inverse qui nous paraît étrange : le charbon, le noir et blanc et les rendez-vous pris sans téléphone portable.

Internet était mon *absolute* de poche : plus l'écran rapetissait, plus je m'élevais dans les limbes du réseau, entre les couches du Web et les pare-feu, je créais, genèses sans cesse renouvelées, toujours plus étendues. Avec mon smartphone je m'introduisais par tous les interstices, j'y laissais couler mon être – courant d'air spirituel à travers les ordinateurs du monde entier, si je voulais.

Meilleur que l'orgasme. J'étais partout à la fois.

Tout ça appartient au passé, maintenant. Mon destin a été spammé.

10

Pour la première fois, la banalité d'une marche nocturne m'apporte un peu de répit, celui que mes nuits virtuelles avaient seules le don de m'offrir. J'ai commencé à prendre mon temps pour rentrer chez moi, le plus souvent à pied, d'un point à l'autre de la ville, même si la Défense est loin de mon petit appartement de l'Est. Ces errances sont devenues nécessaires à ma survie, je me retrouve dans la perte. Je m'enfonce dans Paris, l'air y est plus tendre, moins étouffé par la moquette ou faussé par la climatisation obligatoire des tours où je végète désormais.

Je sors. Qu'il vente ou qu'il neige, les terrasses sont toujours bondées : plus de saisonnalité, résistance oblige. On y boit du pastis à l'heure du goûter et du rosé en plein hiver. Partout, des visages. Partout, des sourires. Ils se saoulent à l'oubli. Leur présence me vexe.

Je me rappelle une nuit de frappes. Alors que l'assaut des forces de l'ordre n'était pas encore terminé et que la plupart des Parisiens restaient cloîtrés, je suis sorti de chez moi. J'ai marché dans la ville vidée par la peur et j'ai eu le sentiment d'une liberté grande m'empoignant tout le corps. Sans le regard des autres, les trottoirs m'appartenaient. Les rues m'offraient des *perspectives* inavouables jusque-là. Planète dépouillée, laissée à l'abandon – que t'es bandante ! On avait l'impression d'une fête interrompue par surprise : tout restait à sa place, les verres, les chaises, les lumières – sauf les êtres.

Paris désertique, forcément pur, ça n'a pas assez duré.

Je recherche ce paradis perdu dans mes nouvelles escapades. Le vagabondage me permet de retarder le plus possible le retour chez moi. Car dans mes draps, je n'ai plus ma place, l'insomnie assèche mon lit entre deux cauchemars qui se ressemblent toujours. Je vois Drexciya qui m'échappe sans que je puisse la retenir, les coups qui déferlent sur le visage de ma mère sans que j'ose m'interposer. À chaque fois, je veux fuir par la fenêtre, mais, à la place de la lune manquante, une étoile noire douloureuse et lointaine grossit et finit par tout éteindre. Et m'étreindre jusqu'à l'asphyxie. Réveil brutal.

Je vérifie en passant mes doigts sur mon cou que ma tête est toujours rattachée au reste. La forme noire m'a atteinte avec le claquement de la guillotine. Je connais bien ce bruit pour l'avoir entendu dans des vidéos d'exécutions en Corée disponibles au fond des travées du Web, hors de portée de la censure de Google.

Dans tous mes cauchemars revient ma mère, sempiternelle divinité de mes failles, sans cesse, aux côtés de Drexciya, comme deux sœurs furieuses qui veulent ma fin. J'aimerais empêcher ma mère d'apparaître mais elle s'est enfouie trop profondément en moi pour que je m'en débarrasse. Mon père est mort très vite. C'est comme si ma mère m'avait eu toute seule. Puis elle en a aimé d'autres, plusieurs à la suite. J'avais beau jouer au mâle dominant de la maison, j'espérais à chaque tour que ce soit le bon. Sans l'avouer, je m'étais mis en quête du modèle – ou plutôt, en position pour être modelé. Elle a fini par en choisir un fort et bon bricoleur. Il aimait la battre le soir et certains matins aussi quand sa journée commençait trop tôt. J'ai grandi avec les cris de douleur de ma mère jusqu'à ce que mes piratages me donnent assez de revenus pour me trouver une chambre de bonne louée au black. Mon autonomie s'est concrétisée assez vite, je devais partir.

Je vois ma mère de temps en temps, on déjeune et c'est elle qui m'invite avec ses tickets restau car son « honnêteté », comme elle l'appelle, lui interdit de profiter du revenu de mes méfaits numériques. Hacker ou soldat, pour elle ça se vaut. Ma participation désormais pleine et directe au conflit contredit ce qu'elle nomme son « âme de gauche ». J'essaye de lui montrer que cela ne signifie pas grand-chose mais elle ne veut rien entendre.

Elle me propose toujours de monter « à la maison » – ça sonne faux. Je refuse car je sais qu'il est là à attendre qu'on lui serve son déjeuner et que les cris ne sont jamais loin. Dans leur huis clos, je n'ai jamais levé la voix, je n'ai jamais osé m'accorder à sa note. Invariablement, je gardais la tête rivée dans l'assiette creuse. L'esquive me semblait être la seule didascalie de sortie. Depuis, je me tiens à distance. Ma mère ne dit rien, à son tour, car parler serait condamner mon silence. C'est à moi, *Fils*, véritable homme de sa vie, de la libérer des colères de l'ogre avec qui elle partage son lit. La tâche est trop raide, je préfère ne rien voir plutôt qu'agir, défaire le mal en le rendant invisible.

Encore cette lâcheté qui m'est propre : l'impuissance, maladie de naissance.

11

Un matin de mars, je suis convoqué par mes supé-
rieurs pour « faire un point » – énième expression
bâtarde de l'entreprise, je vais les connaître toutes
à force – après trois mois au service des pilotes.
J'ai du mal à écouter le bilan de mes compétences,
mélange de flatteries et de méfiances. La nuit pré-
cédente m'a roué de cauchemars, à chaque sursaut j'ai replongé en apnée dans les bras noués de
Drexciya.

Les gradés me parlent d'une opportunité : l'état-
major, toujours par mesure d'économie, a décidé
d'installer les bases de lancement des drones directement au Proche-Orient, dans le désert où se
concentrent la majorité des attaques contre le califat
terroriste. Il y a peu, les drones décollaient encore
de Toulon ou de Chypre pour s'abattre à l'Est.
Mais leurs opérations rencontrent un tel succès
que des pans entiers du désert sont contrôlés par
notre armée maintenant. Un renfort technique est

demandé sur place pour dorloter les drones – sans qui rien de tout ça n'aurait été possible –, adapter leurs programmes à l'environnement climatique et améliorer leurs performances. Si je le souhaite, le poste est à moi. Je partirais à la fin du mois.

Toute ma vie, j'ai manqué les opportunités. Celle-ci, je me refuse à la laisser s'échapper. Pour me libérer entièrement, je dois partir, quitter cette ville et mon passé qui y demeure. Dire oui au désert où les drones frappent.

Fuir, au loin cette fois – en quête d'un commencement.

II

JOURNAL DU DÉSERT

« Cependant tes os se consumeront, ensevelis dans les champs d'Ilion, pour une entreprise inachevée. »

Iliade, chant IV

31 mars

Je suis descendu en bas de ma rue acheter quelques stylos Bic noirs et ce carnet où je vais m'évertuer à tout noter. Les heures sont si serrées ces derniers temps, tout s'accumule dans ma mémoire, j'ai peur d'oublier un détail important qui finirait effacé sous le reste. Je veux m'imposer cette nouvelle habitude comme une sauvegarde de mes souvenirs mais aussi de ma liberté. J'ai déjà vu au sein du régiment des pilotes de la Défense que l'armée a un don pour distiller son vocabulaire systémique et que si on n'y prend pas garde, on finit par ne penser qu'en leurs termes à eux. Avant de quitter définitivement Paris pour le désert et la guerre, je veux prendre le temps, chaque soir, de noircir quelques pages, petit à petit, délier dans l'encre ma langue endolorie.

Ce n'est pas facile, ça ne coule pas de source. Pour moi, le clavier a toujours été une lyre, alors que mon stylo me fait déjà mal. Au fil des lignes, sa petite tige de plastique martyrise mes doigts, mon poignet, mes tendons jusqu'à mon épaule. Écrire, c'est un muscle, et je n'ai pas d'entraînement. Ma position est bizarre, un peu avachie, un peu fermée, avec la main tordue vers l'intérieur comme si ces lignes devaient rester secrètes et invisibles. Je vais m'efforcer de tenir le plus longtemps possible. Et quand je n'aurai plus rien à écrire, je trouverai des petits exercices. Comme par exemple, énumérer mes fantasmes de guerrier en devenir, les allonger sur la page : tranchées, héroïsme, bombardiers, feux de camp, musique insistante des chenilles de chars, mines explosant au loin, nourriture dégueulasse, mains en l'air, alarmes de nuit, sans soleil, vitres teintées, brisures et éclats, drapeaux en berne, explosions retardées, sacs de sable, cessez-le-feu... Je pourrais continuer ma liste encore longtemps mais le Bic me brise les doigts. Laquelle de mes attentes sera brisée à son tour par la réalité du conflit qui m'attend et pour lequel je semble désespérément mal préparé ?

Un 14-18 high-tech, j'ai du mal à y croire, pourtant je n'arrive pas à imaginer autre chose.

Ma mère ne m'a pas dit au revoir. J'ai beau lui dire que rien ne me lie aux soldats, que je suis trop seul pour être comme eux. J'ai beau expliquer que tout ce que je ferai *là-bas*, ce sera à contrecœur. Elle ne veut rien entendre. À ses yeux, ma mission n'est plus celle, lointaine, d'un technicien. Sur le terrain, je deviens soldat. Cette contradiction entre mon statut futur et son « âme de gauche » lui provoque des crampes nocturnes, un trait de famille dont je suis le responsable désigné – génétique inversée du reproche.

Là-bas : j'inscris ce mot dans ce journal que je commence à peine. Étrange association implantée par le trait d'union. Une descente qu'on pointe du doigt. Un enfer qui tient en cinq lettres. Un rendez-vous oublié, pris à notre place par quelque présence, qui resurgit, de face, au présent.

Je ne suis pas grand voyageur. Petit, en colonie de vacances, ma mère cousait mon nom dans mes slips pour m'éviter de les égarer. Plus tard, j'ai surtout voyagé sur Google Earth.

Je ne sais pas comment faire mon sac, ce qu'il faut prendre pour partir en guerre. L'armée a tout prévu, c'est une chance : on me fait parvenir un grand sac kaki rempli de treillis, de tee-shirts légers, de caleçons réglementaires, d'un gilet pare-balles en Kevlar, de lunettes épaisses, d'un casque couleur sable, de chaussettes hautes, d'une paire de rangers, etc. – et j'allais l'oublier : un petit pistolet, fait pour ne pas prendre de place, une amulette que je garde longuement entre mes paumes. Au toucher, une arme c'est froid. Je veux la réchauffer, établir entre nous une relation de confiance. Elle me glisse des mains.

En la ramassant, je vérifie ce qu'elle a dans le ventre. Chargée.

Dans le sac, je trouve aussi un petit texte écrit en langue militaire – dialecte qui ne laisse pas d'espaces entre les mots pour les sentiments et l'imaginaire. Je le reproduis ici : « Ayez l'obligeance de prendre avec vous tout matériel et documentation pouvant améliorer les résultats de votre mission en tant que programmeur informatique dédié aux drones. »

Le ton plâtré dénote une vérité palpable : ma hiérarchie retarde. Elle semble tout méconnaître de mes « qualifications », de mes « objectifs », plus encore de mon « travail » – j'emploie exprès ses mots à elle. Or, vieux rouage, tu sembles ignorer qu'il suffit de me munir pour cette *aventure* d'une simple clef USB pouvant contenir des centaines de programmes pour armes automatiques. Pas besoin de m'encombrer de je ne sais quelle documentation aux grimoires poussiéreux. Comme tu es loin d'avoir entamé ta mue. Tu es lasse de ce monde moderne. Tu utilises encore Windows 98, un changement de système d'exploitation t'aurait demandé une formation trop coûteuse. Tes rides vont craquer et je suis le botox que tu t'injectes en ultime ressort pour ta cure de jouvence. Je t'annonce la suite : tu vas me suer car nous ne sommes pas compatibles. Je n'éprouve aucune pitié pour toi, tiens-en compte. Mon tutoiement est celui qu'on accorde aux petits vieux, un peu sourds, qui ne peuvent pas s'en offusquer.

L'armée me rappelle la classe politique française qui, elle aussi, vit encore sans se l'avouer en noir et blanc. Lorsqu'un élu l'ouvre sur « l'Internet », c'est pour espérer grappiller les voix de cet « électorat jeune » qui n'existe plus – son engagement pour la modernité s'arrête au dimanche d'un second tour d'élection.

L'ignorance de mes chefs m'injecte dans les veines, à forte dose, un sentiment de supériorité.

3 avril

Sueur de grand jour. On me fait patienter au Bourget avant l'embarquement dans un gros avion militaire, suppositoire kaki. J'en profite pour gratter quelques pages, accroupi sur le tarmac. J'ai horreur de ces engins vrombissants, de leur graisse métallique. Il me suffit d'une ligne de code source pour ébranler le réseau de communication d'une grande ville mais je me demande toujours comment un avion arrive à extirper son obésité apparente hors de la loi de gravité.

Ce matin j'ai pris le RER, métro pour travailleurs pauvres ou pauvres *en partance*. Mais je ne suis pas allé au bout de la ligne. Charles-de-Gaulle et son terminal refait à neuf, pas pour moi. Non. Descente au Bourget, banlieue grise, où un minibus m'attend pour m'emmener vers l'aéroport militaire – économies obligent, contrainte de la guerre des gains. À force, j'avais compris…

Des gradés nous attendent à l'arrêt pour nous mettre en rangs comme seuls les militaires savent encore le faire. On se croirait au début d'une colonie de vacances : une cinquantaine de jeunes visages rivés au sol par timidité. Sauf qu'ils portent un casque – obligatoire –, des combinaisons – uniformes –, et des cernes – traces de crainte à la craie noire.

J'évalue mes nouveaux camarades – au bas mot, quatre-vingt-cinq pour cent d'hommes et le reste, des avatars de femmes pour satisfaire les clichés paritaires de l'état-major.

Deux dynasties émergent, postées chacune à des hémisphères opposés. D'un côté, une petite bande joyeuse d'engagés volontaires post-attentats qui me dégoûtent par leur fierté affichée et leur assurance portée en diadème. Leur présence ici est tout sauf une réaction réfléchie. Ils ont juste voulu « faire quelque chose ». Ça me rappelle Drexciya et son engagement de la minute d'après. Ceux-là se parlent un peu, chuchotent et j'attrape quelques phrases au passage comme « J'ai hâte d'y être », « On va bien se marrer », « La vengeance est à nous », qui dénotent excitation prépubère et bêtise unanime. Les autres, majorité silencieuse, ont le teint confit, parfois blafard. Je comprends qu'ils sont réservistes, appelés en renfort depuis que le ministère a enfin accepté d'envoyer d'autres effectifs humains. Ils semblent en avoir honte. C'est vrai qu'avoir « réserve » pour origine, ça ne donne pas très envie.

Le voyage n'a duré qu'un instant. À peine le temps de somnoler et je vois l'ombre de l'avion quitter la mer. Une voix off nous annonce que le désert n'est plus qu'à une heure. Dans nos sociétés où la guerre paraît si lointaine, visible juste à l'écran, il suffit de frapper à la porte d'à côté pour la trouver. Pas de lente migration jusqu'à elle. Elle est la voisine silencieuse de nos vies.

La guerre est sous moi, encore à distance, pour le moment. En regardant par le hublot, j'ai la preuve que l'écran des pilotes de drones, analogie hyperréelle, correspond à de vraies montagnes, de vrais fleuves, du vide et des cibles. Du ciel, le terrain est encore en deux dimensions, mais il s'apprête à s'épaissir, à s'incarner face à moi. Que ce soit dans mes souvenirs d'enfance ou ceux de la Défense, la guerre n'a toujours été qu'un jeu vidéo où je me suis habitué à obtenir les meilleurs scores. Pour la première fois, je me mets à douter de ma capacité à réitérer, *en 3D*, mes exploits.

Sorti de ma contemplation, j'ai l'épaule qui bave sur celle de mon voisin de droite, docile ou tétanisé – il n'a pas encore émis le moindre son. Il semble heureux que je revienne à moi et sans plus attendre, me tend la main. C'est un Normand transi, au visage rouge, épais de peau et de sourcils. Il vient d'un patelin au nom romanesque – « Volles-Roses » ou quelque chose dans le genre –, il n'arrête pas de m'en parler, de répéter ce nom que j'ai déjà oublié. On sent qu'il a eu du mal à quitter sa ferme et ses galets. « Tu sais, la Normandie, c'est un grand champ à débordement. » Je n'en sais rien. Je suis encore endormi et je dois écouter ses récits d'éboulements, de mauvais temps au mois d'août, de corps libérés par la marée, de falaises. Il n'a pas l'air très soldat car les soldats ne parlent pas beaucoup. Il a peur.

À ma gauche, un petit marquis, sûrement royaliste par défaut, bête et catho, comme il y en a encore dans l'armée et à l'église le dimanche, tout droit extrait de son Ancien Régime. Fin de siècle, mais du bout du bord, presque dans le vide. Un précipice grand ouvert. Lui c'est tout l'inverse : pas de main tendue, pas même un nom. Il doit descendre d'une famille bien épaisse, étendue et grasse. Noblesse perdue : son visage est vide, ravagé par une bêtise silencieuse, une bêtise de vaches préhistoriques forcées à la consanguinité pour survivre à l'époque.

Au rang d'en face, un Noir avachi sur sa mitraillette bien brillante, astiquée, obélisque miniature, déjà source de plaisir. Avec une coupe de cheveux de footballeur : calligraphie capillaire, peroxydée, toute fraîche, taillée la veille, qui sent la belle occasion. Pas un mot ne quitte ses lèvres. Son silence à lui est plus intelligent : il sait qu'on y va, en guerre. Il sait – c'est suffisant pour ne pas être con.

Voilà le genre de types que je vais devoir supporter, avec qui il faudra coexister. Déjà dans l'atmosphère étouffante de l'avion, leurs têtes, qui tanguent et parfois se cognent entre elles, me semblent toutes être analogues, les perles plastique d'un même collier en toc, des billes qui sonnent creux.

Au moment d'atterrir, même le Normand se tait, les volontaires cessent leurs vannes d'appoint et les réservistes ne bougent toujours pas. Ça ne rigole plus du tout : la chair fait silence. Pour la première fois, je remarque que je partage avec eux le réflexe muet du corps, nauséabond, qui trahit notre peur.

Les hublots sont voilés, on navigue à la lumière artificielle – le ciel sûrement cache ce qui nous attend à terre. Il faut sortir par le bas-ventre de l'avion. On a beau savoir que l'aéroport est dans une zone sous contrôle, que le risque est à zéro, que la guerre est encore loin... On n'y croit plus. On se jette, au suivant... Fléchir ses genoux contre le sol dur. Abaisser sa nuque. Sentir l'air mordre et prendre par-derrière son corps tout entier. Éprouver la rigueur de la terre qui revient à nous, sous nos pieds. Vilaine promesse. Suivre sans un mot la masse indistincte qu'on a devant soi, qu'on capture mal à cause des projecteurs tout autour, balafres de lumière.

Être étouffé, de longues secondes, peut-être plus. Aveugle même. Par la chaleur et le bruit. Tout y passe quand on touche ce sol. Tout nous traverse.

Je suis fatigué donc j'ai peu de souvenirs. Seulement des lumières rouges, là-bas... Et la poussière, par-tout : poussière dans ma bouche, poussière sur mes yeux, poussière plein le nez, sur ma peau, sous mes ongles. Poussières, larmes sèches.

4 avril

Il y a d'abord le mur. Vu de très loin. Même de la jeep, avec les cils gonflés de fatigue et de crainte, boursouflés de chaleur, j'aperçois le mur qui s'épaissit peu à peu. Une grande cicatrice dans le paysage désertique. Comme si tout le reste n'était qu'une plaie que nous sommes venus soigner, col-mater à mains nues. Je n'ai pas de connaissances médicales – alors pourquoi suis-je là ?

Le camp est divisé en deux parties distinctes : le hangar des drones et celui des hommes.

La porte principale du camp, lourde et lente, semble peser mille tonnes. Elle gronde, vieux pachyderme immortel, ouvrant la bouche pour hurler quelque terrifiante nouvelle. Elle me fait penser à un pont-levis d'acier, écorce imprenable. Surveillée par les yeux brillants de snipers, notre troupe s'enfonce dans une succession de baraquements sans surprise, de vieux blocs gris répartis au hasard pour donner un sentiment de diversité.

Un gradé nous mène d'abord dans le plus central : le réfectoire. J'ai de mauvais souvenirs de cantine, communs à tous ceux qui ont connu l'école publique : la brandade de morue plastifiée, la salade de fruits chimique avec en son centre, seule trouvaille intéressante, la cerise confite, rouge vif, point G fluo. Et le reste : les jets de nourriture, les moqueries des autres élèves, les gueulantes des surveillants, le niveau sonore à son perpétuel maximum. Tout un décorum à vous écœurer de la bouffe.

Je me retrouve assis avec mes petits camarades sur des chaises en plastique qui font déborder mes genoux, asservissent mon dos et me triturent tout ce passif douloureux. Ajouter à cela une envie de chiasse post-avion qui me serre le ventre et m'empêche de rester tranquille.

Arrive pour le briefing de bienvenue, un gros colonel, excédé de cette chaleur perpétuelle qui fait pendre ses joues de manière testiculaire. C'est l'intendant du camp, qui nous fait répéter à l'infini les lois intérieures : contraintes de sécurité, interdiction de déplacement nocturne, zones interdites, badges et autorisations adéquates, etc.

Chaque consigne est déclamée dans un premier degré sans nuance, sorte de blancheur verbale qui rappelle les murs d'hôpital. Tout doit être fait pour que l'ordre soit compris sans nécessiter de réflexion. On sent que l'ironie est crainte, que l'humour porte malheur, que chaque pensée qui ne vole pas en rase-mottes est à proscrire car coupable d'éloigner du discours officiel. On nous initie à la langue du soldat, privée de bifurcations et d'accents – restent les aphtes des impératifs.

La visite reprend. On passe devant un bâtiment trop propre, où tous les efforts ont été concentrés sur l'installation minutieuse d'un système de climatisation dernier cri : c'est l'Administration. Ici, j'imagine que les cerveaux roupillent après manger, sursautent quand passe le cerveau supérieur, puis jouent à la guerre, une heure ou deux, sur écrans et sur fichiers Excel. Ça doit parler « stats », « réformes » et « directives » – mots savants sans science.

C'est là que se pratique la nouvelle formule économe et propre du conflit. Tout est compté à l'excès, vérifié à la décimale près pour que chaque dépense soit minime. Du prix du missile à celui de la formation d'un pilote ou l'installation d'un drone de surveillance. L'offensive est une succession d'additions fixes dont le coût total annihile l'objectif tactique. Il faut que cette guerre rapporte – je me répète, mais il semble que ce soit l'ultime précepte de notre présence ici. Le seul Commandement.

Étape suivante, la tente qui sert de département médical. La blancheur surprend au milieu des blocs grisâtres. Pas l'ombre d'un brancard à l'horizon, les outils scintillent, immaculés, comme les pages d'un livre jamais ouvert. Quelques médecins, au repos forcé, suent à ne rien faire, attendent assis en tailleur une plaie providentielle. Mes camarades ne semblent pas s'en étonner, ils prennent garde à ne pas froisser les aveux du silence. Ils avancent, dociles, l'inclinaison de leurs nuques m'indique qu'ils n'osent pas critiquer même dans le chuchotement intérieur de leur conscience. Je doute qu'ils en aient une. Je me sens d'emblée supérieur, *consciencieusement* supérieur. Pourtant je marche à leur rythme, d'un pas sec. Pourquoi l'atmosphère qui nous entoure est-elle si calme ?

On croise d'autres soldats parfois et tout notre troupeau se recroqueville. Des vieux de la vieille, des déjà-là – ils nous toisent d'un regard mauvais. Tout est bleu à leurs yeux, surtout nos gueules, bleues comme la peur qu'on ne connaît pas encore, la peur des nuits, la peur dans les lits, la peur tout court. Ils se moquent de notre retard, et profitent de leur avance. Ils ont raison.

Bifurcation : on passe au milieu d'une dizaine de mobile-homes où vit l'état-major, soustrait aux contraintes de la collectivité. Des petits studios meublés lâchés par hélicoptère, livrés tout neufs, on dirait qu'ils ont été extraits d'un emballage en papier à bulles. Fournis avec lampe de chevet, lit simple, ventilateur, Wifi et Coca Light au frigo prêt à être consommé.

On s'enfonce ensuite dans un baraquement aux murs noirs à la monotonie rébarbative : notre dortoir, aussi commun qu'une pissotière. C'est ici qu'il faudra faire semblant de dormir, sur ce faux sol en plastique qui nous refuse tout contact avec la terre. Je découvre mon lit, sous le lit d'un autre, et d'encore un autre : on nous empile, cela fait gagner de la place et de l'argent. Je verrai donc, chaque soir, les formes d'un corps, en négatif, sur un matelas trop maigre, à travers des suspensions de fer. Un placard avec quelques tranchées laissées vides pour moi, un miroir tout fin le long d'un mur, des toilettes déjà sales – c'est tout.

Une partie du dortoir est déjà occupée par des soldats. Près de leurs lits sont accrochés au mur quelques détails navrants de leur vie, des bouts gisants de désir : les seins refaits d'une pin-up YouPorn, des parties de visage arrachées au premier ennemi tué, le plan de métro d'une ville jadis aimée... Et des morceaux de peinture qui ont pelé à cause de la chaleur, remuée par les hélices bruyantes de l'inutile ventilateur. La vétusté de notre parcage dénote avec la technologie de pointe, nouveau nerf de la guerre – on voit bien où ont été faites les économies.

À peine le temps de tout déballer qu'on nous ressort pour nous mener au mur, la partie la mieux hantée du camp, que je nomme tout de suite rempart pour l'anoblir en château fort. Au pied de ce mur, on nous autorise à monter un par un, sous l'œil moqueur des gardes et des caméras de surveillance qui pivotent à 180° sans effort ni torticolis. Le gradé qui nous guide insiste pour nous les présenter officiellement : « Elles ont presque remplacé les miradors », confesse-t-il, comme si ces « filles qui ne ferment jamais l'œil » le rendaient plus fier que ses troupes. L'enceinte en est couverte, varices rouges, en plus des capteurs, autres pustules qui pullulent sur la paroi électrifiée, avant le trou de l'autre côté telle une douve décevante qu'on n'aurait pas fini de creuser. Je me mets à gravir l'échelle qui mène à la coursive de sécurité où les soldats montent la garde. La hauteur libère mes sensations du sens de la visite : enfin je vais voir le désert.

Il est bleu. Le soleil vient de s'éteindre derrière la ligne d'horizon. On dirait une mer calme, sans houle et sans surprise. Je le trouve beau. Je parlerais presque d'un « paysage » s'il n'y avait pas les restes de quelques villages calcinés, un minaret explosé tel un poireau trop cuit planté dans le sol par un éclair. Et la carcasse d'une usine à gaz jadis partagée d'un commun accord entre le régime et les terroristes jusqu'à ce que les uns demandent plus de taxes, les autres décapitent le PDG et que les drones viennent régler le litige en rasant tout de près.

À l'ouest, près du couchant, le désert rougit, vaste ossuaire où le sol gorgé de sang rappelle mille ans de luttes absurdes et oubliées, tribus contre nomades, arabes contre perses, sultans contre colons, barbus contre occidents. Je les mélange tous. On n'a plus qu'à avaler les restes, encore fumants semble-t-il.

La peau du désert a subi l'incessante tactique de la terre brûlée opérée par tous ceux qui sont passés par là. Son épiderme est celui d'un calciné. Pourtant, il rayonne d'un éclat plus attirant que le terrain meuble à l'intérieur du camp. On dirait qu'entre les murs, le désert n'est plus le même. Juste de la poussière moite, genre de litière où les félins aiment à se soulager.

Au sud, le hangar des drones s'apprête à se dissoudre dans le couchant. Quasi invisible, on le croirait recouvert de peinture Vantablack, ce noir qui absorbe toute la lumière et dont on maquille les drones espion. Je regarde ses murs épais, imposants, qui couvent une vie d'autant plus intense qu'elle est recluse. Cette citadelle rude, sans grâce, a été construite par des êtres indifférents à la joie et à la beauté. Mais elle renferme un mystère de par son isolement, alors qu'en notre enceinte, je ne vois qu'un vase vide où domine l'attente vaine.

Je dois l'admettre : le désert m'attire immédiatement. Attraction coupable, sûrement mal vue, car j'ai l'impression que le regard du garde cantonné à ce bout de rempart a vrillé : il m'a repéré, il sent tout. Omniscient comme une mère, il sait que je vais l'aimer un peu trop, ce désert, zone prohibée. Ce n'est pas de ma faute. Je n'en avais jamais vu avant, moi, des déserts, à part sur les photos des livres de classe — et mes notes, pas fameuses, en géographie, prouvent que je n'ai rien à me reprocher, que je n'ai pas d'antécédents désertiques.

J'aimerais le rassurer, lui prouver que ce n'est qu'un sentiment passager qui s'envolera lorsque ma mission commencera et que je serai pleinement occupé… Mais il est trop tard pour les excuses. Déjà une voix m'appelle, m'ordonne de redescendre. Au suivant. Un dernier regard vers le sable qui brûle maintenant au large… Dans un silence sidéral qui met la vie en sursis.

…

Ces lignes, récit du premier jour, je les écris sous mes draps. La chaleur m'empêche de dormir, elle a asséché ma peau, rayé mes lèvres de gerçures si profondes qu'on y aperçoit l'au-delà. L'inconfort, aussi, refuse à mon corps de s'étendre sans frapper mur ou sommier, et je dois demeurer recroquevillé, en chien de fusil. Le sommeil va et revient, ressac insoutenable qui s'accompagne des mêmes refrains passés : ma mère battue, Drexciya foudroyante, et moi, passif paralysé, assailli par l'ombre noire, menace totale. Il n'y a rien d'autre à faire alors j'ai calé mon iPhone entre mes dents, tétine en mode lampe torche, pour qu'il éclaire mes pages et que je puisse gratter avant d'oublier. Il faut que je reste discret, ne pas déranger le sommeil facile de mes nouveaux colocataires qui ronflent déjà. Il fait encore plus chaud sous les draps mais je n'ai pas d'autre choix pour masquer la lumière. Il faut que j'écrive tout, il faut que j'avance cet entraînement intime – promesse passée à la nuit.

5 avril

6 h 45 : ma journée commence par des sonneries électriques qui grelottent furieusement dans tout le dortoir. Les lumières s'allument d'un coup. Vite, je cache mon journal entre deux tee-shirts dans ma portion de placard. Il faut attendre le soir avant de retrouver cette possession secrète. S'ensuit un simulacre de douche pour remuer la poussière qui couvre tout. Dans une petite pièce d'environ quatre mètres sur six, on fait la queue presque nus, les deux mains posées sous le bas-ventre, protégeant le peu d'organes encore inexplorés par le regard des autres. Le plafond est hérissé d'une floraison de pommeaux au débit impuissant. Au sol, mes doigts de pied cognent contre la rigole d'évacuation où l'eau sale s'échappe difficilement.

7 h 30 : tout le monde est réuni, en place, pour le salut aux couleurs – moment d'exaltation du

sentiment patriote. Les aisselles suintent, il fait déjà trop chaud. Les équipes de nuit se mélangent à celles arrachées à leurs rêves, tout le monde s'apprête à échanger son rôle. La masse s'impatiente, en uniforme, c'est-à-dire uniformisée, confondue sous le même cuir, le même acier, la même peau et les mêmes formes. Le bloc monolithique se fissure vite : c'est le moment de se ruer au réfectoire, la foule en voie de dissolution se rompt pour avaler un café trop aqueux. Puis, chacun à son poste : la plupart montent la garde sur les remparts, les autres au repos, quelques-uns sécurisent le blockhaus où l'on range armes et munitions.

Midi : retrouvailles, pour une heure, ersatz de pause. J'y assiste en spectateur, sur la touche, soumis à un rythme personnalisé tout aussi réglé et stupide. Mais déjà solitaire.

Depuis le matin, je suis séparé des autres, confiné au « pôle informatique » – mon bureau, en langue d'entreprise. Une vraie chambre de geek, taille moineau, un placard 2.0 parcouru de fils électriques, de disques durs, d'écrans clignotants entassés les uns sur les autres. Il y fait encore plus chaud qu'à l'extérieur malgré les ventilateurs qui me visent et ne servent qu'à remuer l'air, à m'étouffer un peu plus – cuisson à la vapeur grise. Misérable impasse, mon bureau, à peine plus grand qu'un ascenseur de grand-mère, couvert de caméras qu'on n'a pas pris la peine de cacher. On préfère m'avoir à l'œil plutôt que de me faire confiance : les risques sont moins grands.

Je suis surveillé car on attend de moi un certain taux de résultats – je retrouve, comme à la Défense, le règne des quotas. L'actionnaire, c'est mon chef. Tout passe par lui. Petit être au teint jaune, couronné d'une tête ronde d'informaticien de province, il a l'air content d'être là. Bonne raison de me méfier de lui. Le pire c'est qu'il me demande d'y croire, « d'adhérer au projet » – il n'a que ça en bouche, des paroles toutes faites, cuites et recuites, croûtes de pensées.

En attendant, chaque jour, je vais avoir un nombre précis de programmes à inculquer aux drones pour leur insuffler la vie. Je dois inscrire dans le ventre de ces petites bêtes si puissantes, si craintes même pas nos propres soldats, des kilos de données. Mon chef vérifie, fait les comptes en fin de journée. Je comprends vite que ce sera ma mission principale : programmer les drones un par un, au compte-gouttes, pour qu'ils aient chacun un dessein sur mesure, une personnalité propre. Les actions que je leur enseigne sont assez simples à développer pour un hacker de ma trempe – reconnaissance, intimidation, protection, puis à terme, attaque, feu à volonté, tir de précision, explosion massive, rafales, décapitation, autodestruction –, quelques lignes de code suffisent à transcrire cette charcuterie digitale dénuée de finesse. Mais c'est un labeur épuisant, sans cesse répété, qui demande une forte concentration car les codes changent peu, se ressemblent, et la moindre erreur oblige à tout reprendre, à tout revérifier... Sinon le drone, l'arme idéale qui promet réussite sans bavure, dysfonctionne. Plusieurs fois, mon chef m'a obligé à recommencer un codage « pour ne pas prendre de risque » : « Toujours se méfier du péril que peuvent causer tes fautes de frappe. »

Le paradoxe c'est qu'il me demande d'imposer à la donnée numérique une certitude, un objectif précis, un taux d'échec minime : mettre l'accent absolu à ce qui est profondément relatif. Programmer n'est pas une science exacte et stable mais une aventure dans le meilleur des cas, sinon une insignifiance, où les œuvres improvisées demeurent étrangères à leur devenir. Comment asservir mon codex d'alchimiste à leurs attentes de fonctionnaires ? C'est impossible. Et mon chef me reproche déjà chaque accroc, condamne le moindre de mes vacillements.

Enchanter la vulgaire matière, cela ne peut pas marcher à tous les coups.

...

La journée s'éternise et mon seul plaisir est de déterrer la nuit tombée mon journal où je peux enfin éviter leur surveillance et me tenir en compagnie de moi-même. Luxe inouï de la solitude. Même si un drap fin me sépare des autres : cette illusion, pour l'instant, me convient.

Écrire – cette habitude, depuis que je suis ici, est comme une garantie.

6 avril

Nous vivons, mon chef et moi, dans un cercle restreint. Mes camarades, même ceux de la transhumance rapide vers le désert, ne comprennent pas ce rôle différent, ce statut à part. Ils me croisent dans le camp, au réfectoire, dans les dortoirs, apparition fugitive. Je leur ressemble, mais la couleur de mon badge est différente – ici, ça suffit pour instaurer une discrimination.

On ne me parle plus vraiment. Même mon Normand, pourtant si bavard, s'est tu depuis qu'il a appris à quel secteur j'appartenais. Mes contacts avec les autres se résument à la courtoisie d'un e-mail automatique. Je finis par croire qu'ils m'évitent. Une distance s'est instaurée entre nous – je vis derrière l'écran. Pas eux.

Ils sont peu à quitter le camp, seuls quelques rares élus, les protégés des gradés. L'ordre d'attaquer a disparu de leurs missions, désormais restreintes à l'ISR (Intelligence, Surveillance, Reconnaissance), fonctions basiques que seuls les drones ont le droit de surpasser. Entre eux et la machine, la domination s'est inversée.

Pour mon chef, cet exil au sein de la vie en société du camp est une fierté, la preuve que « nous ne sommes pas comme les autres. Ils ont besoin de nous. Sans nous, pas de drones ». J'ai du mal à m'enorgueillir de cette *supériorité*. « Tu verras, ici, les soldats sont jaloux des drones. » Drôle d'oracle.

À table, je me retrouve seul, avec lui. Binôme forcé, régiment intime qui me condamne à un tandem de reclus. Sans issue.

7 avril

Je n'ai pas encore vu les drones. J'en ai fait la demande à mon chef mais il m'explique qu'il ne détient pas ce pouvoir. Obtenir ce feu vert nécessite une patience héroïque : chaque autorisation doit être validée par l'état-major à Paris, par le bureau du général dans le désert, par le responsable du camp puis, enfin, par mon chef de section. Lui.

Sentiment étrange : je programme au quotidien des armes auxquelles je n'ai pas accès. Mon chef m'apprend que le hangar des drones est une zone interdite, relevant du secret-défense, et qu'on l'a volontairement installé hors du campement par peur des représailles de certains soldats « envieux » de ces armes qui leur font de l'ombre. Je trouve ça risible : pourquoi en vouloir à une machine qui prend tous les risques, même celui de mourir, à notre place ?

Toute ma vie j'ai rêvé d'une mécanique de la sorte : pour mon premier baiser, raté, mon premier slow, bancal, ma première baise, trop courte ; ça aurait été l'idéal de se faire remplacer par un drone programmé à la perfection, dirigé par un calcul mathématique rassurant car infaillible. Un drone pour vivre mieux, se vivre mieux, voilà une idée à ressortir quand ma mission sera finie, loin des jours nés identiques. Je pourrais bien investir dans une PME de drones sentimentaux, accessoires de poche pour les paralysés de l'engagement à mon image. Carton plein, c'est du sans risque.

Cette perspective me réjouit. En guerre, tout ce qui se situe dans « l'après » a forcément des couleurs vives. Ce soir, mon dîner fait de viande de bœuf agglomérée est plus savoureux que la veille, mon chef paraît moins con, ma nuit s'annonce agréable. Ce soir, le ciel resplendit et m'offre une apothéose de vainqueur.

Retour au dortoir. On a défait mon lit. Des lettres rouges – du sang – ont été tracées à même mon drap :

L'AMI DES DRONES NE RÊVERA PAS

...

Le journal, dans mon placard, est intact ; je peux tout de suite y planquer ma colère et mon effroi après ce coup bas. Il faut d'abord calmer cette main secouée au rythme des veines qui refuse d'écrire. J'essaye de comprendre ce qui les motive. Ce n'est pas une simple rivalité de dortoir, un rite de bizutage. Derrière l'avertissement, marqué du sceau de la trouille un peu gamine, la menace est réelle. Si proche, pour une fois. Dans cette guerre où l'ennemi n'apparaît pas, où je n'ai aucun contact avec les armes que je biberonne, la proximité soudaine du danger brouille tous mes semblants de repères.

Le sentiment de supériorité, oriflamme et fierté de mon chef, m'a empêché de voir que le camp tout entier est plongé dans une peur latente. Elle n'a fait que m'effleurer, elle demeurait moite et distante, pas encore pénétrante. Jusqu'à maintenant. La peur cherche à me faire peur – logique implacable. Elle m'en veut d'avoir attendu si longtemps pour la subir pleinement, d'avoir cru que je pouvais lui résister, faire comme si elle n'existait pas. Désormais elle a ce qu'elle veut : elle m'a.

Qui travaille pour elle ? Je ne peux rien dire à quiconque, je suis abandonné, à même la peur. Si « l'ami des drones » est également une balance, mon sort est foutu. Il faudra faire cavalier seul. Ma passivité naturelle refait surface et je me demande si la meilleure tactique ne serait pas d'attendre le prochain coup de ces ennemis invisibles. Ils sont plusieurs, forcément. Concevoir que je partage avec eux le même toit et la même existence me plombe les boyaux.

Ce qui me distingue d'eux est dans l'acte quotidien : je programme les drones. Elle vient de là, leur rage, quotient certain. Il faut que je comprenne pourquoi. Que je fasse l'effort de m'immiscer parmi eux, seul moyen d'y voir clair. Trouver leur réponse. Ne pas abdiquer l'honneur d'être une cible.

8 avril

Mener à bien ma résolution, ne pas lui laisser le temps de se faner. Difficile, j'ai peu accès aux autres. Mon travail me retient dans ce local technique qui à chaque minute semble rétrécir un peu plus. Les quelques moments de pause, je les passe avec mon chef, surveillant sans répit. Et quand je rentre au dortoir, les autres dorment déjà ou alors se retournent. J'entends les dos qui se froissent à mon passage. On m'a placé sous le régime de la surveillance commune – quarantaine de chuchotements et de regards en biais. Mes seules échappées : les métadonnées des drones et ce journal que je tiens, tremblant.

10 avril

Réveil au couteau au milieu des ronflements. Chaleur carnivore qui prend tout le corps, même de nuit. J'ai eu l'impression que des doigts étaient posés sur mon cou, prêts à m'étrangler, à trancher ma gorge d'un coup sec. Toujours cette forme sombre émergeant du fond de mes cauchemars. Dehors la lumière vive des miradors transperce le rideau sale et suffit à bannir le calme d'un ciel apaisé. Les hommes ne font que ça, ici : surveiller et piétiner – gardiens d'un musée noir éternellement vide.

Je n'ai toujours pas réussi à les sonder. Je les croise si rarement, jamais en tête à tête, sans cesse exposé à l'ordonnance rigoureuse des bâtiments géométriques du camp. De mon bureau, je n'entends que le râle des disques durs tournant à plein régime, frigos à nourriture pour drones, qui s'accorde aux spasmes du groupe électrogène. J'aimerais que le vent se lève, souffle pour dissuader mes acouphènes.

Par la fenêtre, j'observe les hommes qui montent la garde. Ils se tiennent droit, huit heures d'affilée, pour la bonne cause. Concentrés sur le désert, en alerte, prêts à protéger l'arène des drones, épicentre de leur veille. Aucun signe ne permet de déceler leur crainte de la machine. Tous coïncident sans bavure avec leur uniforme. J'aimerais leur montrer que je vaux bien plus que ma fonction de remplisseur de drones, rôle clé mais exilant. Ma mission n'est pas à ma taille, mon être la dépasse. Je veux leur prouver que je suis bien plus que l'« ami des drones ».

11 avril

À la cantine, les premiers jours, on ne mangeait pas si mal mais depuis peu, on ne nous sert plus qu'une sorte de nourriture reconstituée dégueulasse. L'intendant du camp a prétexté un retard dans le ravitaillement. En interne, certains murmurent que faire venir de la viande européenne coûte trop cher, qu'on devrait prendre exemple sur les drones qui, eux au moins, n'ont pas besoin d'un régime spécifique. Il faudra s'habituer à ces morceaux de carcasses élevées sous vide, cette eau filtrée au goût d'égout, ce pain rassis et ces légumes qui semblent pousser directement en petits cubes.

J'ai profité de la contestation des plus affamés dans la file qui mène au plat principal pour esquiver mon boss. Je cherche le Normand pour m'asseoir à ses côtés. Je me dis que bleu comme il est, arrivé au camp en même temps que moi, il n'a pas été mis au courant de l'expédition punitive à mon endroit. Ma réputation doit encore être vierge à ses yeux. Il peut me servir d'accroche à la masse des autres.

Le Normand est assis là, en bout de table, à côté d'un grand soldat qui est devenu son protecteur. C'est Rambo, patronyme attesté par ses cicatrices et ses grosses cuisses. Rambo, un vieux de la vieille, un de ceux qui ont participé à des batailles d'«avant les drones». Sans grade, il a le haut rang auprès des hommes car il sait se montrer généreux avec ses miettes. Il peut couronner d'un seul regard les nouveaux, ou bien les rejeter sans appel.

Je me mets face au Normand et lui demande des nouvelles de ses falaises. L'initiative le touche. J'écoute à peine sa réponse – il veut soutenir un champ d'éoliennes qui va défigurer le littoral entre Dieppe et Étretat – je ne regarde que Rambo. Alors que le Normand sort discrètement son portable caché dans sa chaussette pour me montrer le profil Facebook de sa petite amie, ce qui équivaut de nos jours à une rencontre en chair et en os, je commence à faire la cour à son voisin. Je trouve une excuse : l'envie d'en savoir plus sur la vie de soldat, moi qui n'en suis pas un vrai. Je veux écouter ses fables. Au début, Rambo hésite. Je décèle la réticence sur ses lèvres tremblantes – et quand les lèvres d'un prétentieux tremblent, c'est qu'il s'apprête à faire quelque chose de regrettable. Je suis ce regret.
Rambo doute – il doit savoir que j'ai mauvaise réputation – mais finit par me donner rendez-vous le soir même, à la pause clopes.

Juste le temps de finir mon assiette, de rentrer au dortoir pour rédiger ces quelques paragraphes relatant ma victoire. Maintenant il faut que je retourne coder, interminablement, attendre ce soir.

...

Le soir, après dîner, le camp prend la forme d'un champ onirique : dans la noirceur nocturne fleurissent les lueurs toujours intactes des cigarettes électroniques, bleues, parfois jaunes, rouges ou vertes. Seule la cendre est absente. On se vaporise un peu avant les rêves et le tour de garde qui finissent par se confondre.

Dans l'obscurité, je reconnais Rambo à sa coupe de cheveux grandiose comme un blockbuster. Il est entouré d'un fan-club d'habitués qui s'éloignent lorsque j'approche. Ici, chaque soir, tous prennent une place, toujours la même. C'est comme ça à chaque moment de la vie close du camp. L'enfermement crée la norme. Même l'attaque surprise de l'ennemi semble inscrite au programme. Ce soir, l'ennemi, c'est moi, qui viens brouiller le rituel.

J'écoute les récits de Rambo. Kosovo, Iran, Lybie : des noms d'un autre temps, d'avant le califat, d'avant les attentats, d'avant le désert, d'avant les drones. Anciennes reliques qui rassurent celui qui les énumère. Il en parle comme s'il n'était plus sûr de leur existence.

Après ses récits, il dévie sur mon cas. Je note sur ces pages ce premier relent de vérité à mon égard : « Je pensais mourir sous une grenade communiste ou dans les chiottes d'un ayatollah. Ça m'allait. Au moins je savais que ça serait un homme, un homme comme moi, avec les mêmes entrailles et la même merde dans les yeux et le trou de balle, qui appuierait sur la détente. Aujourd'hui, que ces foutus drones pour te trouer en silence. Ils tombent sur toi, y a rien à faire. C'est pour ça qu'on t'aime pas avec les gars. Pas vraiment de ta faute, tu me diras... Mais tout de même : on a l'impression que t'es pas de notre côté. T'es du côté noir, celui des drones. J'ai jamais eu peur. J'ai pas signé pour ça. Jusqu'à ce que j'entende leur bourdonnement. Ça m'a pris tout le corps. Envie de me percer le bide moi-même avant qu'ils le fassent. Je patiente encore un peu. Mais ça viendra. Un jour, je ne pourrai plus tenir. »

J'éclate de rire. Je n'ai pas pu m'en empêcher. Sa peur, sa peur, sa peur. Quelle peur ? Lui qui a vu les combats, les bombes et la mort, craint ce que je maîtrise de mon clavier. Le geek a vaincu Rambo.

Pas le temps de savourer. Mon rire nerveux, presque de soulagement, il le prend pour de la moquerie. Tout s'est assombri en lui quand il a évoqué les drones. Mon rire l'a fait reculer. J'essaye de le retenir, à découvert, je n'ai plus rien à perdre : « J'aimerais vous accompagner, un jour, en mission. » Il hausse les épaules. Sa réponse : « On verra. » Futur sans concession. « On ne sort pas des masses tu l'as compris… La mission, c'est le camp. Notre vie, c'est le camp. Tu y es. »

…

Retour au dortoir et à sa puanteur d'écurie. Tout le monde dort, ou fait semblant. J'avance à tâtons par peur du croche-patte dans la nuit. Pas envie de me faire remarquer. Je me glisse lentement dans ma couche.

La voix de ma mère, spectre rassurant pour une fois, vient me bercer. Elle m'offre un peu de répit. « Tu peux dormir, mon fils. Fais de beaux rêves. *Buonanotte.* » On s'invente ce que l'on peut.

12 avril

La comptine maternelle a étouffé le fracas de l'explosion d'hier soir, à quelques dizaines de kilomètres du camp. Un checkpoint ou une réserve d'armes devait être visée. Rien qu'une petite voiture piégée. Je n'ai rien entendu.

Pas envie d'écrire aujourd'hui. Mon chef m'a fait refaire toute une série de formatages de drones qu'il jugeait bâclée. Je suis épuisé.

À demain.

15 avril

Demain n'a pas tenu ses promesses. Ni après-demain. Je m'en veux : j'ai manqué mon coup. Séduire Rambo pour devenir l'un des leurs a échoué lamentablement. Il n'y aura peut-être pas d'autres opportunités, pas d'autre passe-plat. Je reste la cible. Oh ! Pas d'une grande conspiration. Mais il y aura d'autres heurts... J'attends − posture insoutenable. Toujours sur mes gardes, je survis sous la lame. À vif.

Je vois leurs regards. Le silence qui entoure chacune de mes apparitions. Les gestes raccourcis, les mains qui couvrent les bouches, à mon passage.

L'armée et sa géopolitique de cour de récréation. Je ne serai jamais leader – sûr à cent pour cent – on m'interdit même d'être suiveur ou de rester apaisé dans mon coin.

Entre les lieux communs – dortoir, bureau, cantine, chiottes – je rase les murs, j'épouse les angles. Tête basse.

La nuit je fais semblant de ronfler, par défi. Dormir tel le grizzly rassasié de miel, loin des menaces. Hibernation imaginaire pour conscience tranquille. J'essaye de me convaincre mais c'est un leurre. En réalité, je tremble. Pas facile de combiner les deux mouvements antagonistes, l'un profond, incontrôlable cri du corps, face à l'autre, mis en scène. Les entrailles gagnent toujours. Je fais semblant jusqu'au plus tard puis tombe le vrai sommeil et ses secousses. Je ne peux résister aux coups de mon propre corps.

Mon sentiment de supériorité, mon détachement – tous fondus. On me bouscule dans la queue de la cantine. On vide mon gel douche. On me laisse de corvée plus longtemps que les autres. On abroge ma portion d'eau. On fait couler de la cire – peut-être est-ce pire que de la cire, je ne veux pas savoir – sous mes draps. On sème mes chaussettes. On brise mes lunettes. On se moque de mes coups de soleil après avoir remplacé ma crème par du lait concentré. Petits accrocs, légères déchirures, doux écartèlements, dans un décor de canicule permanente. *On* fait très mal.

Seul mon chef, dans son aura de stupidité, ne voit rien, ne fait rien. Son aveuglement me donne un peu de répit mais il faut en échange supporter sa bêtise optimiste. Pourquoi ne lui font-ils rien ? Il s'occupe des drones, comme moi. Plus haut que moi, même. Peut-être que sa connerie a dissuadé la communauté de s'en prendre à lui. Je trouve ça inéquitable.

Injustice supplémentaire : il me demande d'« intensifier la cadence ». Depuis que le front du Nord s'est ouvert, le nombre de drones a doublé. Ça veut dire plus de programmes, toujours plus de programmes... Et moins le temps d'écrire.

22 avril

L'armée restreint de plus en plus l'accès à Internet. Même pour commander certains logiciels, je dois quémander à mon chef. Nous n'avons pas le droit de nous connecter aux sites d'info, ni de surveiller nos comptes bancaires ou nos abonnements aux jeux en ligne. Idem pour les photos ou vidéos qu'on voudrait envoyer à nos « proches » – bannies, elles aussi. Nos e-mails sont lus. Je le sais. J'ai eu la confirmation aujourd'hui de la paranoïa ambiante sur les risques de fuite : le réseau du camp est séquestré par un logiciel de surveillance féroce type « Sentinelle » installé par un autre hacker avant moi, sans aucun doute.

On se connaît tous dans ce petit milieu. Je retrouve souvent dans quelques programmes militaires le style d'anciens combattants de la liberté devenus factionnaires. Se sont-ils rendus comme moi ? Ou bien ont-ils été attrapés, condamnés et forcés ? Certains sont sûrement des engagés volontaires pour être en position de force lorsqu'il s'agit de marchander leurs honoraires… Le salaire très large, et le pardon qui va avec, suffisent de toute façon à nous convaincre tous. Même les plus brillants et les plus recherchés d'entre nous ont fini par retourner leur veste et vendre leurs lieutenants au FBI. Il n'y a pas de loyauté chez les hackers. Ni d'anonymat.

J'écris ce journal à la main, avec un stylo, relique d'un temps passé − temps écolier, temps framboises, griffures et rougeurs − car chaque ligne tapée sur un clavier est potentiellement exhibée ailleurs, tapine aux yeux de tous. Le journal : mon trésor non surveillable. Il faut sans cesse renouveler sa cachette, entre du tissu, sous une planche qui me sert de sommier, dans le double fond du casier. Ici, l'intimité n'existe pas. Il y a toujours une présence qui scrute. L'impression qu'on se surveille tous d'un commun accord, habitude tacite. Et j'imagine la rancœur des autochtones qui passent leurs journées dans les ruines du désert, épiés sans cesse par la guêpe invisible, toujours là-haut pour dénoncer le potentiel terroriste qui sommeille en eux. Justice algorithmique où tous sont présumés coupables. Petit homme des sables, qui vient chez toi ? Qui te parle ? Qui mange dans ta main ? Qui dort sur ta paillasse ? Qui conspire avec toi ? Le drone a toutes tes réponses. Grondement insoutenable. Moi j'ai droit aux caméras et à mes camarades. Finalement je m'en tire pas si mal.

Le journal est ma nécessité. Si je veux garder ma voix, si je veux m'entendre respirer, je dois noircir ces pages, le plus possible. Pour protéger mon ton, mon regard, mon intimité. Certains hommes rêvent de congeler leur bite pour la rendre immortelle et éviter qu'elle se ride. Je fais pareil avec mes entrailles, dans de l'encre.

24 avril

Une poignée de soldats sont partis en mission ce matin. L'annonce a été faite hier soir au réfectoire.

Ils vont ravitailler une base rebelle, vers le nord. Ça fait partie du programme *Train & Equip* : fournir en armes certains barbus qui ont accepté de jouer aux agents doubles pour nous aider contre le califat. Il faut vérifier qu'ils utilisent les fusils qu'on leur cède contre nos cibles et qu'ils n'en profitent pas pour se la jouer néo-cosaques, seigneurs de guerre prêts à toutes les horreurs pour faire d'une clairière leur royaume.

Les gars sélectionnés sont enviés : on se répète qu'eux ont la veine de partir « là où ça se passe ». Pour être choisi, il faut bien s'entendre avec un gradé ou un responsable de baraquement. Le seul moyen, c'est de se soumettre à toutes leurs exigences, même les plus basses. Deux gars de mon dortoir font partie du contingent d'heureux élus. Le gradé est venu les voir au réveil et leur a ordonné de se forcer à chier, tout de suite, devant tout le monde. « Pas de soldat le ventre plein dans mon équipe. Sinon vous ne partez pas. » Les types se sont exécutés, sans rien dire, se sont vidés devant nous. Je sens que le gradé aurait aimé aller encore plus loin, établir un contrôle technologique du corps de ses hommes. Une sonde pour être sûr, un petit drone dans le derrière. Pour tout posséder, jusqu'à nos selles.

Nous, les recalés, avons droit à une session d'entraînement obligatoire « pour se dégourdir les jambes ». Même moi je dois y passer au nom de la directive générale.

Dans une salle vidée pour l'occasion, tu enfiles un masque de réalité virtuelle Oculus Rift qui te transporte dans un ersatz de désert 3D – couleur jaune d'œuf fluo, transgénique. Devant toi, un six-coups apparaît à ta hauteur, puis un pistolet mitrailleur Uzi, enfin un fusil d'assaut M-16. Des cibles se dessinent à quelques mètres. D'abord fixes, dociles. Puis mouvantes. Fuyantes même. Tu dois tirer. L'ordinateur calcule ton pourcentage de réussite. Puis le stand de tir s'efface. Ton corps est baladé ailleurs. Mis en situation cette fois, dans une oasis en ruine. Un village de tentes déchirées, ouvertes comme de la chair au soleil. Et un cratère d'obus. Tu visualises. Puis tu entends des sifflements qui gonflent, le chant caractéristique du mortier. Il faut te cacher. Tout est faux, mais ton corps, lui, oublie. Il tremble, l'arme est pesante, tu as chaud, tu sues. Tu te colles à un bout de mur. Un ordre jaillit de nulle part, briefing de jeu vidéo. Tu dois viser les ennemis qui accourent, viennent s'empaler un peu bêtement dans leur trajectoire de pantin informatique. Quand tu les atteins, aucune trace de sang. Ils s'arrêtent net, dans le vide. Ton corps n'aime pas ce ballet. Au bout d'un certain temps, les ennemis sont tous figés. Tu as gagné. Le chronomètre indique 2 minutes et 19 secondes.

Quand on m'enlève le masque, je suis pris de vertige. La bile s'active mais reste en moi, me laisse un arrière-goût de pourriture. Mon corps s'est fait balader dans la réalité augmentée qui malgré sa fausseté et ses bugs me fait payer pour des actes que je n'ai pas commis. Mon score est faible. Le gradé se marre. Le *player* suivant se moque aussi.

Il faut que je retourne à mes programmes, sans une minute de repos. Avec ses coups répétés, ma tempe sectionne mon souffle. Je ressens la même répugnance qu'un pilote de drones, blessé malgré lui par sa tuerie à distance.

À la sortie, ceux qui sont passés avant moi à l'échauffement factice se plaignent en chœur. Pour eux, la simulation d'entraînement ne suffit pas. Ils en veulent plus, ils veulent sortir.

25 avril

Dans notre accès très limité aux réseaux sociaux, on n'a même pas le droit de *sortir*. Interdiction de poster quoi que ce soit, toute interaction est illicite. On peut regarder sans toucher. L'état-major autorise seulement la connexion car il craint que les hommes deviennent fous s'ils ne peuvent pas se branler devant le profil de leur femme ou de celle d'un autre.

Depuis mon smartphone, je regarde ma vie d'avant qui continue sans moi. Quelques messages d'amis s'entassent, heureusement leur nombre diminue. Je les regarde aller à des fêtes – il semble qu'ils ne fassent que ça, des fêtes, tout le temps, ailleurs, sans moi, grandioses. Défaite de tout. Ça se passe si loin de moi. La guerre rend impossible tout rapport avec cette vie laissée derrière. Je n'y suis plus à ma place, je l'observe en intrus. Je dérange l'espace privé qui fut le mien. Même cette photo, datée de un an à peine, prise dans un bar, où je trinque avec des visages, me paraît fausse. Photoshopée. Je ne me retrouve plus dessus.

Notre inaction, tout le monde s'en fout. D'autres causes plus valables nécessitent d'être défendues : un littoral se détériore, un artiste mort doit être célébré, un animal est en voie de disparition, des enfants se noient en Méditerranée, il faut organiser un crowfunding, une vidéo d'un Chinois parlant avec l'accent du Sud fait le buzz, etc. Tous les jours, la page se réactualise. Sans nous. Et cette fois, je suis bien avec eux, les soldats oubliés.

La guerre lente – voilà ce que nous faisons.

Le soir, parmi les hommes enfin dénoués de tout travail, il y a les fumeurs de cigarettes électroniques et les joueurs. Entre les deux groupes, j'erre sans but, pas pressé d'aller me coucher le premier.

Pour les joueurs, c'est poker ou rien. Seuls quelques-uns s'enlisent dans d'interminables parties de Risk, qu'ils photographient avec leur portable une fois qu'il est trop tard pour continuer, afin de les reprendre au même stade un soir prochain. J'aime les regarder jouer à la guerre qu'ils font semblant de faire toute la journée. Au fond, je partage leur penchant pour cette illusion de conquête, ce désir d'épopée. Petit, avant l'acné, j'ai eu moi-même des poussées d'héroïsme. Mais quand mon beau-père, héros potentiel à mes yeux d'enfant, s'est mis à frapper ma mère tous les soirs, mon esprit chevaleresque en a pris un coup, lui aussi. Je l'ai enfoui en moi, enclavé.

Parfois j'aimerais déterrer cet élan passé en me risquant à jouer une partie avec les soldats. Mais pour moi, il n'y a jamais de place. J'ai eu ma chance une seule fois mais je n'ai rien compris à la partie malgré de longues soirées d'observation. Impitoyables, les règles m'échappent toujours.

Je n'ai pas de nouvelles de Drexciya. J'ai l'habitude. Quand nous partagions un petit appartement mal éclairé, dans une impasse, il lui arrivait souvent de promettre d'être de retour une heure plus tard pour ne revenir que le surlendemain, sans un signe, pas même un texto pour me prévenir. Dès qu'elle passait la porte, seul son retour m'importait et me contentait. J'étais alors entièrement dévoué à elle. Je restais seul, encombré de mon être, dans le noir, à caler ma respiration sur les bruits et les ombres, pour ne pas froisser son entrée. Souvent, il était très tard ou très tôt. Je faisais semblant de dormir pour faire semblant de m'en foutre – je fais la même chose, aujourd'hui, dans le dortoir, avec mes soldats.

Aimer, c'est faire semblant qu'on n'attend pas. Combien de fois j'ai avalé cette phrase. Je voulais qu'elle sente cet amour total que j'avais pour elle, je voulais la saturer entièrement avec, mais c'est moi qui termine écrasé.

C'est fini, pourquoi attendre encore ? Je lui ai donné le prétexte pour me quitter – ma piteuse entrée en guerre, ma reddition – mais il a fallu, en plus, que ce soit de ma faute. Quand bien même : son inconstance psychotique, ses règles anarchiques, ses antécédents d'enfant désaimé par une mère brute, son passif de fille suraimée par un père mou, sa névrose d'ado jamais sage, ses relents de claquage de porte lors de sa dix-septième année, son impossibilité de voir la vérité en face, sa répulsion pour la double fosse où elle a grandi (banlieue bourgeoise + province de droite), son pseudo-sens du sacrifice christique – ah ! qu'il est utile ce masque-là, peut-être la seule chose qu'elle a réellement retenue de son catéchisme, car même le diable se baptise en ces terres – ses mensonges pour toujours souriants, son art de la fuite, son incapacité à poser le point final, son faux étendard d'engagée perpétuelle qui lui sert à gifler en permanence ma soif de compromis, et, pour terminer, la perfection de son petit cul. Non, toutes ces raisons ne suffisent pas : je dois rester le seul coupable.

Je règle mes comptes. Ce n'est pas vraiment l'endroit ni le moment mais mes jours sont devenus si lents, si enchaînés les uns aux autres, que la colère, au moins, fait périr les secondes un peu plus vite. Je sais qu'il me faudra du temps pour voyager au bout du deuil et retrouver un cœur vivant. Du temps, donc – du temps d'attente, encore elle : un amour commence toujours plus tôt et se termine plus tard qu'on ne le croit.

Avant de partir, on s'est revus brièvement. Je voulais lui annoncer ma vengeance, mon revirement, mon passage dans le camp des hackers Blancs. Une manière pour moi d'avoir le dernier mot en lui assenant un coup fatal. Sa réponse : « Je le savais. » Elle ne m'a même pas donné le plaisir de la surprise. Terrible indifférence. Elle semblait ne pas m'en vouloir. Je l'avais définitivement perdue.

Pire que ça : elle m'humilia en me promettant des nouvelles, comme si ma trahison ne lui faisait rien. Pour mettre les formes à mon échec. Et puis, d'un point de vue social ce n'est pas terrible de renier son amant au moment où il « s'en va t'en guerre ». Même pour elle, résistante et anarchiste, les apparences comptent, bien plus qu'elle n'est prête à se l'avouer.

Comme les autres soldats, j'attends une preuve qu'un lien existe entre mon existence passée et mon présent arraché. Car si lien il y a, la possibilité d'une suite émerge. Mais toujours aucun signe de Drexciya. Juste des nouvelles de ma mère : les croquettes du chat ne conviennent pas, il en faut des spéciales sans gluten issues de l'agriculture biologique, qu'on ne commande que chez le vétérinaire mais demain c'est dimanche et tout est fermé… On a les signes qu'on mérite.

J'ai vu du sang. Il était temps. Comme les joueurs de poker le soir qui *payent pour voir*, cette guerre doit avoir un prix. Un soldat, l'un des rares autorisés à quitter le camp pour une mission de reconnaissance, vient de rentrer avec une balle logée dans le pancréas. Pas facile à atteindre, le pancréas, dans le noir de nos entrailles, caché derrière d'autres organes.

Les sentinelles ouvrent la porte en vitesse, à grands coups de hurlements de sirènes et de flashs de lumière rouge. Ils ont l'air tout affolé, comme s'ils avaient perdu l'habitude du sang. Curieuse panique pour des soldats – qui plus est des soldats professionnels, pas le soldat gratuit et conscrit du service militaire et des monuments aux morts.

Alors qu'on conduit le blessé au bloc médical, pour la première fois en état d'alerte, je pense à ce corps à raviver qui bouleverse tout le camp, car dans notre guerre, la mort est hors la loi. D'après les cours d'histoire, c'est justement le seul moment, la guerre, où il est bon de mourir. Mourir bien droit, mourir de droit. Mais pas ici, pas cette guerre. On nous garde au chaud, entassés sur notre ennui.

Plus de cercueil. Nos mères n'ont même plus besoin de pleurer.

111

2 mai

Mon chef me surveille, je le sens. Je le vois derrière chaque tape amicale, au fond de chaque café
qu'il me propose. Il me scrute. Un homme qui a
retourné sa veste n'est jamais totalement cru, on
l'épie et on l'observe, on ne lui laisse pas sa
confiance. Je sais que mon travail est revérifié méti-
culeusement.

Il doit y avoir une petite fiche bleue à mon nom,
là-haut, dans les bureaux climatisés. Pas de fiche
rouge, ni de fiche noire, ce serait me flatter...
Tout de même, il faut toujours garder un œil sur
l'homme derrière la fiche, sinon elle perd de sa
superbe utilité.

3 mai

Je n'ai pas encore parlé des toilettes – cagibi
vétuste, au bout du dortoir, qui va à l'encontre
de l'hypertechnologie inhérente aux drones et à
ma mission.

J'ai toujours eu du mal à chier. Cette action si
banalement partagée par tous, cette action si infime
et commune prend chez moi des proportions infinies, une importance capitale. J'envie les chieurs

décomplexés. J'envie leur facilité insolente, leur décontraction. Leur rapidité, aussi. Je ne suis pas pathologiquement constipé : je me suis constipé. Je veux paraître parfait au regard des autres, juge suprême que je me suis toujours imposé, et pour cela, il faut effacer les pièces à conviction, les preuves sales de mon humanité. Faire disparaître toutes les traces de ma trace. Je ne sais pas d'où remonte ce penchant, j'ai longtemps sondé mes souvenirs. Petit je n'avais aucun problème et je veux savoir depuis quand je tisse, travail d'araignée et de Pénélope, la phobie de ma propre merde.

Inutile d'ajouter qu'au camp, les chiottes sont l'un des endroits que je déteste le plus : ouvertes, partagées, sans mur, l'intimité y est plus absente qu'ailleurs — c'est le communisme du caca. Il n'y a jamais de « bon moment » pour s'y rendre, on vous entend, on vous sent, on vous regarde par le trou d'une porte, par au-dessus ou par-dessous. Sale histoire. Y aller, c'est être vu. Même au milieu de la nuit, à tâtons, c'est plus cramé encore. Je m'échappe parfois quand tout le monde est à table. Les sentinelles sont à leur poste mais au moins les dortoirs sont vides. Seules les caméras me suivent. Il ne se passe tellement rien que je crains qu'on raconte que l'ami des drones est également mauvais chieur. Je tiens aux restes de ma réputation.

Pour m'aider, j'ai quelques techniques. L'une d'elles est d'imaginer Napoléon avant la bataille, faisant attendre ses généraux, son état-major, l'armée de France et son ennemi, pour chier tranquille. Je pense au visage de l'Empereur assailli par la joie simple du bas-ventre, les jambes pliées au-dessus d'un trou confectionné par l'aide de camp aussitôt recouvert d'honneurs. Un grand homme dans une si piètre posture : ça m'aide et la merde coule un peu plus vite.

7 mai

C'est vendredi. Après le déjeuner, un gradé m'interpelle : « C'est ton tour. » Je ne sais pas encore de quoi. On m'envoie faire la queue avec d'autres soldats, devant la salle des entraînements 3D. Je m'attends à une session d'Oculus Rift qui va à nouveau me donner envie de vomir pendant plusieurs heures à coups de vertiges numériques. Mais les gars ont l'air plus excité cette fois. Ce n'est pas une énième mise en pratique inutile. C'est une surprise.

J'entre dans la salle. Le gradé me montre une chaise et me dit d'enfiler le masque lourd qui sert à oblitérer toute lumière naturelle. Écran noir. J'ai très chaud, ça enflamme mes tempes. J'entends la porte qui claque, le gradé est sorti. Juste avant, il m'a retiré mon froc. L'espace d'un instant je m'attends à une bassesse, une attaque surprise sur mes parties génitales de la part de mes adversaires anti-drones. Le programme se lance. Ça me rassure.

J'ai peu de temps pour choisir, à peine une minute, sinon l'ordinateur décide à ma place de manière aléatoire. Elles sont trois : blonde, brune, noire. Poupées digitales inanimées : elles tournent dans un halo de lumière blanche, prenables sous toutes leurs coutures. Je prends la blonde. Ensuite, le lieu. On me propose : une chambre trois étoiles aux draps satinés, une résidence secondaire tirée d'un magazine déco pour ménagère ou une cabane sur la plage. Je réserve la dernière. Jour ou nuit ? Nuit. On me soumet jusqu'à la météo. Je sélectionne l'orage. C'est parti.

Mon corps est projeté dans la scène. Je ne me sens pas très bien. Mal d'altitude du voyage instantané. Fourmis rampant en moi, dégoût planqué dans mon ventre-terrier. Je vois la fille qui apparaît, à portée, et ça passe. Elle scintille, comme si le contour de sa peau n'était qu'un tatouage à l'eau mal collé au décor. Sûrement un bug du programme. À part ça, c'est du joli. Les seins pointent harmonieusement, les reflets de la chevelure donnent une teinte réaliste, des yeux abyssaux, plus profonds qu'un vrai regard, le corps bien taillé, sans une irrégularité. Je contemple ses fesses. J'y pose ma main, glacée par ce premier contact. Mon corps prend son temps pour y croire. Puis ça monte, je m'embrase peu à peu. J'approche la fille de mon emprise. Elle vient. Un sourire imperturbable lui sert de bouche. J'y glisse mes doigts, un par un, détracteurs, entre les deux rangées de dents rectilignes. J'ai l'impression qu'elles me mordent juste ce qu'il faut. Mon corps se laisse prendre au jeu, de plus en plus, la brûlure s'accélère, je repère des détails inavouables jusque-là – un grain de beauté familier sur son visage numérisé, l'odeur de la pluie qui enivre, l'excitation des battements de nos deux cœur mis à l'unisson par le programme qui pense à tout. C'est bon. Appropriation charnelle numérique. Ça ressemble à du rêve simulé. Bientôt, je ne serai plus du tout sur mes gardes.

Le programme prend une initiative : elle pose sa main sur ma joue, comme ça, sans que je le lui demande. Elle chuchote même, quelques formules de désir générique : « J'en ai très envie », « Vas-y, viens », « Plus fort », « Tout au fond ». Je n'ai pas encore commencé. Ce décalage artificiel entre sa voix et mes actes, qui pourrait en refroidir plus d'un, m'excite, au contraire. Me force à y aller

– il doit y avoir un temps limite. Elle grimpe sur moi. Je regarde mon sexe la pénétrer, disparaître *en elle*. Cavité qui semble si vraie. Tout pour y croire, s'y perdre. Elle sourit, toujours pareil. J'essaye de contraindre mon cerveau à ne pas *prendre parti*, lui rappeler que ce n'est qu'une image construite par un code, une mise en scène affinée par quelques effets spéciaux. La fille accélère. Je ne peux pas m'empêcher d'éprouver quelque chose, je crois qu'il s'agit de plaisir. Le logiciel fonctionne. L'orage grandit de l'autre côté de la cabine où il n'y a rien à part du noir vide, néant censé incarner la nuit. Je me demande ce qu'il se passerait si je la repoussais et que je prenais la porte. Si je me rendais au-delà des limites du programme, échappant aux consignes, aux algorithmes, à leurs prérequis. Je manque d'énergie. La foudre claque, son corps s'illumine d'un coup. Je ne vois plus rien et ça suffit pour jouir, frappé par son éclat sans retour.

Tout cesse, subitement. Clignotement rouge, pouls informatique, surdité partielle, retour à l'écran noir. Les lunettes redeviennent elles-mêmes, inutiles et pesantes, mon corps repose à nouveau sur la chaise. Je sens mon sperme qui refroidit à même la peau de mon aine découverte. Ma main droite n'a pas quitté l'accoudoir. Mon sperme sèche. La fille a disparu. Avec elle, l'orage, la cabane, la nuit. J'ai

117

mal à la tête. Le gradé tambourine de l'autre côté, gueule : « Tu te grouilles de sortir ? » Y en a qui attendent. Les néons, les murs blancs, l'odeur de climatisation. Tout est à sa place. Ma main propre, innocente, et ma bite qui pendouille, sans plus de jouissance. Vertige d'après, décevant. J'ai envie de vomir.

Je repasse la porte, un autre soldat s'engouffre, précipité. Le gradé suit pour relancer le système et défroquer le suivant, comme à chaque prise. Un soldat me saisit le bras et m'alpague. « Alors, t'as pris quoi ? » Il a le visage rouge, essoufflé. Il a joui vite. Il reste là, sur le pas de porte, avec pour tout le monde un bon mot bien ficelé, comparant son râle à celui des autres. J'hésite un instant. Il attend ma réponse avec une impatience presque canine, il veut que je lui renvoie la balle. « J'ai pris la blonde. » Il sourit, satisfait. « Pas mal... Moi je la garde pour la prochaine fois. J'aimerais bien qu'on puisse choisir leur tour de poitrine... » Pour la première fois depuis mon arrivée, quelqu'un me regarde sans a priori : je ne suis plus l'« ami des drones » – juste un frère vidé par la même jouissance basse. C'est vendredi – « notre prière à nous », m'explique le gars, tout sourire.

L'armée a lancé ce logiciel – Digital Satisfaction – six mois plus tôt pour offrir un court moment de détente aux soldats gangrenés par l'ennui et éviter que le sevrage mène à des dérapages moralement répréhensibles aux yeux des tribunaux de guerre. Ça a marché si fort qu'il a fallu en rationner l'utilisation. Un vendredi sur deux. Passage obligé pour tout le camp. Les commérages murmurent que la session de la matinée est la meilleure car le logiciel est encore frais, les lunettes moins collantes et les filles numérisées, plus en jambe. J'ai du mal à y croire, un programme ne se fatigue jamais. Paraît même que les gradés s'offrent des conquêtes bien réelles, eux. Elles entrent au camp en troupeau, par la face nord, la plus discrète, entassées à l'arrière d'une jeep poussiéreuse. Je ne sais pas qui s'occupe de les cueillir, sûrement des civils bien placés qui profitent de la proximité de la base pour s'enrichir. J'imagine quelques barbus joyeux de fournir le gratin de l'armée française en vagins, vendeurs de sentiments pas très différents de ceux qu'on trouve à Paris ou ailleurs... Ce genre de fonction ne change pas d'un désert à l'autre : elle est là, la nature proxénète de l'homme.

9 mai

L'amour en 3D ne suffit pas. Je sens le manque d'action pure, en moi, pourtant habitué à passer de longues heures statiques face à l'écran comme le lézard au soleil. Mes camarades aussi en souffrent, plus abîmés encore par cette carence. La tension du vide reprend vite son œuvre. L'état-major le sait. Pour nous combler un peu, les gradés ont autorisé aujourd'hui l'organisation d'un entraînement physique hors du camp, en partenariat avec nos alliés américains.

On se retrouve juste de l'autre côté du mur. C'est déjà une avancée énorme. Promesse d'air un peu plus frais, d'horizon à déchirer comme du papier cadeau. En réalité, la plaine préparée pour l'occasion amorce un panorama des plus banals : un parcours du combattant pour soldats sans combat, du classique sans idée, des pompes, des tractions, une corde à monter, des planches à gravir, des barbelés à éviter en rampant, des filets puis des sauts, prises au sol, levées de genoux, etc. Gymnastique de l'immédiat, pour faire gonfler les muscles ramollis par l'ennui.

J'ai le souffle coupé par le manque d'exercice. Entre chaque pompe idiote, j'aimerais lever la tête, toiser le désert qui s'ouvre à moi. Il est blanc ce matin, livide, couvert de traces noires, page blanche dépucelée par de mauvais signes. Ce sont nos marques, les seules auxquelles on a le droit. Des empreintes de rangers, des gouttes de sueur. Pour rien, pour faire semblant. Chaque soir, je rêve de regarder le désert du haut du camp, à la dérobée, telle une échappée de braises. Là, que du vide. Le désert n'a rien à me dire. J'ai pourtant le sentiment vif qu'un lien d'appartenance existe entre cette terre et moi. J'aimerais me relever pour la saluer, lui montrer que je suis différent, que je vaux plus que les autres. Je mérite une relation spéciale – des fiançailles.

Mais l'ombre gradée, à laquelle tout se subordonne, moi le premier, me rabaisse au sol, rapproche mes lèvres de la terre, seul baiser autorisé. « Encore dix pompes. » Les officiers nous épient : une fesse qui se lève est déjà un acte de rébellion, une volonté trop propre.

Les Américains arrivent tout en cuisses larges, en veines épaisses, couleur marshmallow. Ils parlent fort et vite, recouvrent nos présences épuisées par la chaleur et l'exercice. Ils nous rassurent.

Avec eux, j'ai la chance d'être anonyme, pas l'apatride exclu d'office. Je peux bavarder un peu, entre deux sessions de gainage. Tous ces *rednecks* ne font pas grand-chose ici, un peu comme nous, sauf que leur état-major dorlote leur illusion avec plus de ferveur. Car l'opinion publique américaine est encore très attachée à son armée d'hommes, pas comme en Europe. Pourtant, ils ont mis du temps à venir dans le désert. Il faut les comprendre. Les États-Unis ont peur des conflits qui s'enlisent. Ils veulent frapper fort, partir vite, sans penser aux conséquences. Il a fallu les supplier pour qu'ils viennent nous épauler contre le califat. Ils ont accepté, au dernier moment. Ils ont envoyé leurs drones et quelques régiments, pour la forme. Ces Johnny, Dick et Dirk rêvent de garer leur pick-up sur la plage, de tourner le dos à l'océan, de siroter bières sur bières et de grossir, s'épaissir jusqu'à la fin des temps. Même leurs corps musclés, comprimés par l'effort et la prise régulière de protéines en poudre, gardent une place pour le gras qui leur est destiné, à terme.

Ils sentent le savon au gazole des stations-service. Ils sont bêtes mais toujours *friendly* – entêtante habitude que de laisser toujours libre accès à leur sympathie. Ils plaisent, indéniablement.

À la pause, quelques marines apprennent des chants antidrones aux nôtres : « *A good drone is a dead drone / We will fuck you, blind eagles / etc.* » Je retrouve toute la frustration des pilotes de la Défense, privés d'adrénaline et de risques. Les Américains haïssent aussi les drones mais il est trop tard. Washington a signé des contrats avec toute la Silicon Valley pour qu'elle envoie des essaims de ses robots les plus perfectionnés. Ça rapporte et ça consomme : accord parfait.

Restent l'impuissance et la haine, en chansons. On fait encore quelques pompes et c'est déjà l'heure de rentrer. Sur le chemin, très court, qui mène au camp, les gars de chez nous sifflent les mélodies antidrones. Moi je regarde le désert, amoureusement. Cette journée a fait du bien.

10 mai

Retour au temps en surplus sur l'autel du codage que j'arpente chaque jour comme une liste de courses. J'attends le vendredi saint avec une impatience pénible. Mon corps est sans repos, trop plein en permanence. Je n'ose pas me caresser dans les douches, faire comme tout le monde, s'extraire aux yeux des autres, mettre en commun toutes ses liquidités – salive, pisse, foutre. De chaque baraquement émanent les effluves d'une virilité consciente de son inutilité. Bienvenue dans le conflit dit moderne qui rend nos existences vétustes. J'ai l'impression que les drones ont droit à plus de confort que nous.

Je subis un déversement de fiel en permanence de la part des gradés. Pour plaire à la masse, ils m'en veulent plus qu'à quiconque, moi, cible commune. Mon uniforme n'est jamais aux normes, ma couche toujours sale, ma vie de corvées – à perpétuité. Quand j'ai le droit à un semblant de retour en grâce de la part d'un sous-officier, c'est pour mieux m'écraser le coup d'après, devant tout le monde, me hurler que je n'ai pas nettoyé les sanitaires comme il faut ou corrigé un détail non réglementaire.

J'ai néanmoins une consolation : les gradés ont peur. Pas de moi – ça serait trop beau –, ni même des drones – je crois qu'ils se sont fait une raison. Mais du vrai chef du camp. Général invisible, j'ai mis du temps à le cerner. Longtemps, il n'a existé que dans les paroles des autres, bribes secrètes et non-dits chuchotés. Jusqu'à aujourd'hui.

Vers midi, il passe la porte du réfectoire. Il semble perdu mais il voit tout, le visage encore bouffi d'enfance. Il ne doit pas être beaucoup plus vieux que moi. Il a les yeux très bleus. On s'est tus pour capter un souffle qui le rendrait humain, comprendre ses prières. En réalité : il compte.

Ce jeune homme est l'envoyé spécial du ministère des Finances. Il est là pour faire de la « croissance de guerre » – l'expression est toute neuve. Il porte un costume, malgré la poussière, c'est son uniforme à lui, pour marquer sa différence, qui nous martèle : « On n'a pas tous fait une grande école. » Il incarne la pensée officielle : ce conflit doit rapporter sur le long terme en accélérant le retrait des effectifs humains – chers et mortels. Il n'y a rien à répondre à cela. « L'économie, c'est le réel », conclut le petit chiot de Bercy.

Dans ses rêves, je le sais, le camp n'est qu'une masse brute, écrasante, sans personnalité. Une foule nue – car la nudité n'est pas un état, mais une quantité –, identique, liée au même régime, à la même économie. De la chair déspiritualisée soumise à ses calculs.

« Aujourd'hui, le sang et son vieil ADN n'ont plus de valeur. On se bat au titane, au fer recyclé et à la diode : voilà de la matière rentable. Un candidat américain, un démocrate je crois, répète sans cesse : "*Wrong war at the wrong time.*" Il se trompe. Cette guerre peut nous rendre riches et vous rendre la paix. » Il semble si joyeux de sa certitude.

Il est là, l'authentique ennemi des soldats : les « directives budgétaires » et leur représentant cravaté, le vrai patron du camp.

Ce soir, je flanche. Le dortoir m'insupporte : leur sommeil transpire, m'enferme dans la cadence des respirations toutes conformes. Il faut sortir. Convaincre le corps de se relever alors qu'il a tant besoin de dormir – c'est l'acte premier pour court-circuiter le temps. S'évader sans un bruit, sentir la lueur verte du néon EXIT sur ma nuque. Me tenir, enfin, dehors.

Le camp est ocre, rongé par une lune fruitée. Il doit y avoir une fête au loin. Première pensée : jalousie. L'air m'étourdit et je me retrouve pendant une seconde dans la nuit commune, nuit à tout le monde, un bar m'y attend, avec un verre et un visage aimé.

Les miradors ronflent, leur lente lumière pointe en berne. Ils ont pris l'habitude de ne plus en avoir rien à foutre. De toute façon, il ne se passe rien. Je m'approche de l'échelle, grimpe là où les snipers sont postés. Un soldat est là, tout noir, de dos. Il m'entend monter, se retourne et mime un sursaut de circonstance. Il n'est pas surpris de me voir apparaître.
« Tu veux partir ?
— Pas encore. »

Pause. On se toise, on dialogue en silence, lexique de l'interdit. On vérifie que personne ne puisse arriver et surprendre nos murmures suspects. Les autres gardes sont loin. Je tremble un peu, de stress et de sommeil manqué. Lui, son visage est calme, bien taillé par la nature, des traits parfaitement fins. Un faisceau de lumière nous traverse et je découvre des yeux bleus, furieux ou très doux, qui changent à chaque battement de cils.

À mon tour de questionner.
« C'est possible, de partir ?
— Certains l'ont fait il y a longtemps. Au début de la guerre. Il suffit de descendre le long du mur. C'est haut mais avec une corde, sans problème. Les snipers ne bougent pas. Ils laissent faire. Tu peux tenter ta chance. Après il faut fuir dans le désert. La nuit te protège un peu puis le jour arrive et c'est fini...
— Pourquoi ? Si je prends assez d'eau...
— Les drones sont là. Ce sont eux qui viennent récupérer les évadés. Ce sont eux qu'il faut craindre si t'es joueur...
— Je croyais qu'on disait "déserteur".
— Nous, on appelle ça le Grand Jeu. Personne n'en est revenu entier. Juste des bouts de corps, renvoyés par Fedex à la famille sans transiter par le camp. On prétendait qu'ils avaient péri dans

une attaque surprise de barbus, pour l'excuse officielle. Mais moi, j'ai toujours su... »

Quand il parle, il flambe. Il est sa propre allumette. Ça se voit qu'il veut y jouer, au Grand
Jeu, qu'un jour il fera le mur pour tout laisser
derrière. Chacun de ses mouvements défie. La vie
pour lui est une grande brûlure qui doit laisser
des traces, à soi et aux autres. Il me révèle ses
habitudes d'un autre temps. C'est son père qui lui
a appris à viser, en l'emmenant au cimetière pour
tirer sur les tombes. C'est le meilleur sniper du
camp, un vrai as. Il ressemble à l'idée que je me
fais d'un as, toujours beau, toujours triste, comme
un dimanche. Pour passer le temps lorsqu'il est de
garde, il lit les biographies des généraux américains de la guerre du Vietnam parce qu'ils ont
perdu. Il surveille les dunes en écoutant de la
techno de Detroit ou de Berlin, la seule musique
qui lui laisse encore entendre son cœur qui bat.
Il en a marre des paroles.

Mais il dit de belles choses : « Tous les déserts se
ressemblent. Celui-là dépérit car on y a exporté
nos impuretés, nous et notre camp. La vie s'égare
puis s'éteint. » Il boit aussi, tout seul, vin blanc
sec ou whisky pas cher. Il m'en offre une lampée.
Le lieutenant laisse faire car ses performances de
tir n'en sont jamais altérées. Il est le seul à ne pas

dire du mal des drones : je crois qu'elles lui plaisent bien, ces machines froides. Il est le seul à en avoir vu décoller.

On se comprend en un regard. Il voit bien que je ne suis pas ici depuis très longtemps – assez pour m'ennuyer, trop peu pour me faire accepter. « Jouer aux cartes ou parler de baise, ça suffit pas. Il faut que tu tires à balles réelles. Que tu réussisses à partir en mission. Tu en auras une, t'inquiète. Et les autres gars, aussi. Ça fait trop longtemps... Ils n'en peuvent plus. Il faut que l'état-major entrouvre la porte et laisse les hommes faire le travail des drones. Pour une fois. »

Il voit que je décroche. Je regarde le désert. Je suis aspiré par le vide ouvert à moi. J'y trouve une forme de paradis, sans hommes, sans créatures, sans quotidien et sans conventions. Un espace vraiment pur, peut-être le dernier : il me suffit de sauter pour l'atteindre.

Mais la main de Soldat Anton – c'est son prénom – sur mon épaule me retient. Il est temps de retourner dormir.

15 mai

Réveillé par les commérages, j'entends que les barbus ont attaqué l'un de nos avant-postes dans la nuit. On a presque réussi à les oublier, ceux-là. À la longue, l'absence d'ennemis donne envie d'adhérer aux complots des Internets. On finit par croire qu'on se bat contre une « menace fantôme » inventée de toutes pièces, un Star Wars au côté si obscur qu'il aurait fait disparaître tous les méchants.

Ce serait beau la mort d'un fantôme.

16 mai

En riposte, un drone a tué cette nuit un sous-chef barbu. J'ai envie d'écrire « un de mes drones » – mais ça sonne faux.

19 mai

J'ai revu Soldat Anton. Plusieurs fois. Il me laisse monter avec lui pour regarder le désert avant de rejoindre mon dortoir. Ça m'évite de trop traîner au milieu des autres zombies et leur fumée électronique. Il m'a appris les noms d'anciens villages qui s'étendaient là, dans la pleine dépouillée par notre présence. Leurs patronymes sont très vite devenus familiers : Alkep, Roka, D'homs, Ar-Zor, Duna, Ilyps, Barézir, Rif. Sonorités rassurantes d'une comptine involontaire. En les soupirant, j'ai même le droit à quelques bouts de rêves agréables où j'entrevois ce monde perdu dont je soupçonne la richesse et l'équilibre. Avant, un fleuve irriguait la terre, là où s'étend aujourd'hui le camp.

Soldat Anton : une amitié vivifiante. Il me prodigue le sentiment réconfortant d'être compris. Depuis que je traîne avec lui, les autres sont plus dociles, leurs regards moins durs envers moi. Même les gradés me laissent un peu plus tranquille. Et Soldat Anton m'octroie la plus belle offrande : une portion journalière de désert. Je ne demande rien de plus.

29 mai

Dix jours sans écrire. Dix jours vides malgré le plein de programmes, de mauvais rêves, de constipation, d'un ennui aliénant. Je reprends le journal car devant moi, j'ai découvert l'incroyable.

Les hackers ont une technique : ils profitent des bugs d'un programme pour se loger entre les lignes du codage officiel. Dans l'intervalle oublié et défectueux, ils peuvent taper une sorte de code parallèle, tracé intérieur, phrasé sous-terrain. Un espace neutre, intime. Ils peuvent s'y livrer sans risque. En théorie cet interstice permet d'inscrire quelques consignes à l'usage des futurs utilisateurs : le programmeur indique comment contourner une faille, updater une version désuète, renforcer la sécurité du système... Mais cette glose informatique, dialecte secret, peut aussi servir de double fond syntaxique pour conserver masqués des informations, des indices.

Ce matin, dans un banal programme pour drones, j'ai trouvé le legs d'un prédécesseur : quelques bribes d'un testament digital. Il faut que j'attende l'après-midi pour déchiffrer ses lignes. Je n'ai retenu que son nom pour l'instant : BlueMonday_88. Il avait le même poste que moi juste avant que je prenne mes fonctions.

Mon chef n'a vu que du feu à ma découverte. Je profite de mon avantage à ses dépens : en bon informaticien, il utilise le logiciel en suivant à la lettre le mode d'emploi. Il n'a pas la ruse du hacker qui s'immisce, n'hésite pas à tordre, à éventrer. Et si jamais ça coince, j'appelle la cavalerie – un petit virus *keylogger* et le cadenas finit par céder.

Chaque codeur a son style avec ses tournures de phrases, ses écailles, ses reflets. Quand je regarde un site ou un programme, je lis *par en dessous*. Dictée bruyante ou léger quatrain – j'y trouve mon compte. Je perçois tout de suite les accents graves et les ratures du codeur, le modèle qu'il a voulu corrompre, l'école qui l'a initié, ses préférences et ses fautes de goût. Internet est pour moi une bibliothèque de Babel avec ses génies et ses ratés, ses vieux livres qui sentent bon, ses tranches épaisses, et tous ses anonymes qui rêvent de postérité en postant les détails de leur vie, leurs insignifiances, leurs colères ou leurs mots d'amour.

Dans le cas de BlueMonday_88, le style lapidaire dénote le manque de temps et, aussi, la peur. Je découvre quelques phrases jetées en désordre sans chronologie ni indications.

Je les retranscris ici, telles qu'elles sont venues à moi :

Toujours plus de programmes, ça ne s'arrête jamais
Les hommes piétinent
Vont finir par se mordre entre eux
La poussière monte, bouche tout
Plus d'étoiles
On raconte toute sorte de
Je ne sais pas trop

133

Qui croire ?
Faudrait fuir
On dit ça
Que le camp est maudit aussi
Ils se sont battus au réfectoire
Une histoire de regard
Le général refuse de nous faire sortir
Plus opérationnels
On reste les uns sur les autres
À attendre
Des hommes se battent encore
On a dû les enfermer
Je vais devenir fou
Exploser, bientôt
Les drones interviennent pour sécuriser le camp
Ça veut dire : leur coller une balle en pleine tête
Vite fait
On dit que les hommes veulent se venger
Il est trop tard
Que des corps vides
Et les drones, là-haut, tout noirs
Ils ont pris la place de la poussière
Je n'aurais pas dû aller les voir
Continuer à faire semblant
Toi qui me lis : ne va pas les voir
Je ne peux plus
Continuer, pourquoi ?
Le sang ça colle même sans soleil
Ça laisse des traces

Les drones sont partis
L'émeute, déjà oubliée
Les chefs ne veulent rien entendre
Si tu restes, tais-toi – c'est la loi
Un type a fait le Grand Jeu hier soir – on le reverra pas
Les autres gardent le silence
Jusqu'à la fin
Je ne vais pas tenir

30 mai

Pas le temps de creuser ma trouble trouvaille, déjà une nouvelle assignation tombe pour me soumettre. Avec les autres, par groupes de vingt, on nous conduit à la salle habituelle. Cette fois-ci pas d'entraînement fictif via Oculus Rift, encore moins de plaisirs numériques. On n'est pas vendredi. La pièce a été transformée en salle de classe : sous les néons, des rangées de bureaux individuels, et en face, un tableau noir.

Un petit être surgit, professeur d'un jour. C'est un gradé de la réserve que l'inspection générale envoie de base en base faire l'officier instructeur, inculquer la bonne parole à la « nouvelle génération » – toujours détesté cette formule et son effet broyant. Appartenance obligatoire, comme une condamnation impersonnelle. Partager les mêmes références, les mêmes excuses, être heureux comme tout le monde – quel concept dégueulasse !

Le professeur porte la moustache raide. Il a le visage sombre qui s'éclaire parfois, quand un mot lui plaît, qu'une idée sonne à son goût, il s'éclaire – éclipses de laideur. Entre deux lunes, sa bouche en cul-de-poule nous lâche : « Je suis là pour vous briefer. Une journaliste va venir réaliser un reportage. Il est essentiel que vous fassiez bonne impression, que vous ayez l'air impliqué... »

C'est donc ça, la raison de cette mise en scène collégiale. En bon cancre, je m'évade par la fenêtre du fond. J'observe Soldat Anton, sur son rempart, qui tire, sans viseur, dans le vide. Désert, insensible, lui sourit en retour, se moque de sa frustration. J'aimerais lui parler, raconter ce que j'ai lu dans les entrailles du programme. Partager avec lui mon effroi, écouter ses conseils.

Des mots lourds me ramènent à la classe. Le prof essaye de convertir mes camarades à l'amour du drone : « C'est la nouvelle aviation, le bouclier total qui vous protège, allaite vos vies. Vous connaissez notre aversion pour les pertes... humaines. Grâce à ces souverains du ciel, plus personne ne meurt. Imaginez ce que ça rapporte. Plus besoin de pensions de veuves, plus de prisonniers ou de tués,

136

ni de destruction de l'environnement ou d'infrastructures à renouveler... Juste quelques bases de lancement et des ordinateurs. Avec le drone : la guerre, c'est la paix. »

Il est fier de sa formule. Mes camarades, un peu moins : ils n'ont pas l'air convaincu par ce bras armé si rentable, force sans corps, sans organe, aux agents uniquement mécaniques. Je les regarde en détail, affalés sur leurs chaises, en berne, leurs joues, leurs mains, leurs oreilles et leurs yeux. On dirait quelques vieilles pièces de ferraille destinées à la casse. On dirait qu'ils ont rouillé.

« Les capteurs ne font pas d'erreur. Ils ont été testés, c'est un sans-faute. Voilà ce qu'il faudra lui dire, à la journaliste... Et puis, entre nous, pour le barbu, être tué au combat rapproché ou à distance, ça ne change rien... Alors qu'on ne vienne pas me parler de morale. La guerre des machines, ils l'ont choisie. En se cachant dans des trous que nos bombes ne peuvent atteindre. Et en devenant djihadistes : ils déshumanisent leurs corps. On n'obtient que ce qu'on mérite. »

Le prof sent que l'auditoire moite lui échappe. Il monte d'un ton. « Le patriotisme est un humanisme. Protéger son pays aux frontières ne suffit plus, la guerre s'est partouzée. Il faut frapper à l'origine. Sinon trop tard, on perd leurs traces et on les retrouve une fois qu'ils éclatent dans nos métros, nos gares, nos bars et nos stades. Bientôt, dans nos campagnes. »

J'écoute attentivement sa propagande. Mais en sous-titres défilent les vers lapidaires de BlueMonday_88. La toute-puissance des drones, la peur des hommes – tout tourne autour de ce tabou ici-bas.

Impossible de m'engager dans la conversation – il nous avait pourtant promis une discussion ouverte et libre, or on se mange un cours magistral étriqué. Parfois j'aimerais répondre, m'interposer, mais ma parole coince. Je la garde en moi – inutile. Pourtant j'ai des choses à dire. Je voudrais qu'on les appelle par leur nom : terroristes, et non plus barbus. Fatigué du raccourci que j'emprunte malgré moi, par habitude. Nous ne sommes pas si différents après tout. Ils nous ressemblent, même. Nous sommes des radicaux du confort qui préférons vivre vidés de tout plutôt que nous faire exploser, gonflés d'engagement et de croyance. Notre cause perdue, face à la leur, bombe à retardement.

L'autre continue, sans relâche : « Le drone, arme sans corps, est notre réponse à l'attentat-suicide du kamikaze dont le corps est l'arme. On tue en engageant le moins de chair possible. Il n'y a plus rien à perdre. Au contraire : tout à gagner. »

Priver l'ennemi d'ennemi : le rêve de toute une hiérarchie. Le pire c'est que ça marche. L'engagement total des soldats de Dieu ne peut plus nous atteindre. Ils finissent par se blesser eux-mêmes : agissant comme une maladie auto-immune, les Tartuffes kamikazes accélèrent la destruction de ce qu'ils veulent sauver – leur religion. Face à eux, notre fanatisme flambant neuf, épine *dronale*, sacralise notre désengagement, bénit notre absence. Et ce ne sont pas quelques soldats comme nous, en manque d'implication, qui vont venir dérégler cette machinerie ultrafonctionnelle.

Le prof se met à gueuler. Sa noirceur vire au rouge vif oratoire. Des mots pêle-mêle s'écrasent, je suis par bribes : « Défense nationale... Patriotisme zoologique... Rentabilité de l'affrontement... Guerre gratuite ne veut pas dire guerre stupide, rassurez-vous... Si vous faites quelque chose pendant suffisamment longtemps, le monde finira par l'accepter. Vous êtes les derniers régiments humains à partir au combat. Profitez. Vous êtes l'aube d'une nouvelle ère... Vos vies sont sacrées, les leurs : dispensables. Puisque l'ennemi est l'ennemi, tous les moyens sont bons... Promesse d'empire pour patrie amère... Passion d'État... Police de drones...

Rêves communs… Crêpes au sucre… Contre le déclin de la France… Victoire, victoire, victoire. »

« Victoire » : il martèle ce mot, debout sur sa chaise, l'impose par en haut à toute la classe, le hurle, encore et encore, pour qu'on l'avale à tout prix. Mais il ne nous appartient pas.

1ᵉʳ juin

La journaliste est arrivée. Pour le supplément du week-end, elle vient raconter, « en immersion », *La guerre aérienne autonome* – son titre, déjà, nous exclut.

C'est l'envoyé du ministère des Finances qui les accueille, elle et son photographe. Il veut marquer d'emblée son autorité, être certain de faire passer le message que ce conflit ne coûte rien au contribuable. Il fait tout pour prouver que la vie quotidienne du camp s'accompagne d'un effort commun vers la préservation de la croissance et le développement durable : il pointe le recyclage, les toilettes sèches et les ampoules à basse consommation.

La journaliste est petite et pas très belle – suffisant pour nous plaire. Un bout de blonde, cheveux crépus, taches de rousseur à la carte. Pour elle, nous ne sommes qu'un « sujet magazine » : quelque chose qui n'intéresse plus grand monde. Il y a de belles photos à faire, quelques citations mais peu d'infos de fond. Ça ne vaut pas bien cher au sommaire, alors pourquoi creuser ? Dans les médias qui ne savent plus – eux aussi – que faire les comptes, nous ne valons pas assez de buzz, de clics, de hashtags. Nous ne sommes plus rentables. C'est notre malédiction, dans tous les domaines. Nous sommes les exclus des algorithmes, les interdits des chaînes d'info, les rejetés du live-tweet.

L'arrivée de la journaliste crée une sorte de jubilation collective. Les hommes se sentent flattés. Ils répondent à tout, se pressent à la porte de sa chambre pour espérer terminer en caractères gras – manière d'exister un peu plus. Très vite, ils déchantent, tous, d'un seul coup : ils ont compris que ce sont les drones qui auraient la pleine page. Nous : tout juste un encadré.

La journaliste veut visiter le hangar de lancement, le plus rapidement possible. Elle est à peine arrivée que notre camp l'ennuie déjà. Mais les autorisations tardent. En attendant, elle se balade par défaut à la recherche de clichés et d'anecdotes écrits d'avance. Elle a en tête sa « photo parfaite » regroupant toutes les minorités du camp pour montrer leur implication dans le « destin de la France » : un intendant noir aux côtés d'une colonelle et d'un légionnaire sans papiers, engagé volontaire pour montrer son attachement à son nouveau territoire.

Elle s'inquiète du sort des minorités – la voilà rassurée. L'armée est bien ce grand milk-shake social qu'elle a en tête, comme sur les affiches dans le métro : « Vous voulez vous rendre utile ? Engagez-vous, tel que vous êtes. » On n'est pas loin du « *Come as you are* » des pubs MacDo.

Tels que nous sommes ? Tous inutiles, tous fictifs, tous tremblants : à ce niveau l'intégration est totale, démocratique.

La journaliste s'impatiente. Elle veut voir les drones. Moi aussi.

4 juin

Elle a dû attendre trois jours pour obtenir une habilitation niveau top secret – le seul moyen d'entrer dans le hangar. Il a fallu lui trouver un guide. C'est moi qui ai été élu par l'état-major alors que je n'ai jamais vu les drones de mes propres yeux. Mais sur le papier, je suis, après tout, celui qui les connaît le mieux. Entre eux et moi, la distance est la plus courte, à part, peut-être, pour leurs cibles.

Nous partons à pied tous les trois, avec son photographe et un gradé chargé de nous surveiller. Le hangar n'est qu'à quelques centaines de mètres, dans un renfoncement du désert qui le rend indétectable à moins de se tenir sur la face sud du rempart. Pas besoin d'une protection rapprochée, les snipers du camp nous escortent dans leur viseur. Je sens leur laser rouge frémir derrière ma nuque.

C'est là. Un bloc noir immense, iceberg rance. Sans fenêtres – les drones ne sont pas de nature à nécessiter une dose de lumière du jour ou d'air libre. Ni à créer des syndicats ou à faire la grève. Ils sont la classe ouvrière idéale, docile et autonome. Le rêve de tout patron. Un jour, ils prendront notre place dans tous les secteurs. Face à eux, la lutte des classes est perdue d'avance.

Le hangar est surveillé par son unité spéciale qui vit en son sein : les Gardiens. Ils sont hommes. Du moins, ils l'ont été un jour. Un uniforme épais les recouvre entièrement. Il est fait d'un tissu spécial qui refroidit la chaleur de l'épiderme afin de faire disparaître toute émission d'humanité aux nez des capteurs thermiques des drones. Ainsi leur présence est mieux acceptée parmi l'essaim. Leur vie, ils la passent sous cette seconde peau pesante et dans l'atmosphère dense du bâtiment, assurée par une claustration hermétique totale. Ils sont gardes et prisonniers à la fois. Ils portent des masques couverts de fils, de diodes et de batteries, tatouages essentiels pour filtrer l'air, supporter l'obscurité et le bruit des machines.

Ce qui violente en premier nos tympans : le battement régulier des générateurs, pulsation implacable de ces organes sans entaille qui allaitent en permanence de nouveaux drones. Les Gardiens les chaperonnent, à n'importe quel prix, pour qu'ils ne fatiguent jamais. Leur importance prime sur tout le reste car ils permettent aux drones de partir en mission pendant plusieurs semaines – ces sales bêtes consomment peu pour en rajouter à notre complexe d'humains défectueux. Les générateurs font un bruit d'obus qui dans sa course parabolique ne cesse de tomber, de siffler, sans jamais exploser mais gronde en permanence.

Étrange monastère : sans cloître, sans idole et sans messe ; pourtant la vie ascétique des Gardiens est écrasée par un divin qui jamais ne ferme l'œil. Je plains ces voisins discrets. Nous sommes frères, en principe, de la même armée. Je pressens une tristesse similaire, un ennui jumeau, sous les masques. Mais la peur semble avoir quitté leurs corps. Et la peur, sur le camp, est la dernière marque d'humanité.

Observés sous chaque angle, on entre dans l'usine après avoir passé une grille aussi imposante qu'une porte de l'enfer. Les Gardiens sont muets. La journaliste n'a pas le droit de leur adresser la parole. Nous les frôlons. Ils restent momifiés, imperturbables, jusqu'à l'iris. Pourtant, on a l'impression qu'ils cernent tous nos gestes.

Les murs transpirent, ils ont honte. Nous traversons de longs corridors qui ne mènent nulle part. La journaliste est déçue : des générateurs, côte à côte, pas de quoi enflammer les colonnes. Cela manque de sensationnel.
Un Gardien mène notre équipage pendant que je lance quelques bribes d'anecdotes sur le choix du câblage, idéal pour la météo désertique, ou l'isolation des toits spécialement pensée pour densifier le réseau Wifi qui alimente les drones en programmes. J'essaye d'être le plus austère possible pour ne pas céder à la louange facile de cette Métropolis nébuleuse.

En réalité, j'ai du mal à cacher mon excitation. Pour la première fois, j'ai accès au lieu que je nourris de loin, becté du bout des doigts. Je suis dans leur antre. Première rencontre : il faut faire bonne impression.

Nous empruntons un énième couloir d'hôpital où tout aurait péri. Au loin, une encablure lumineuse, la seule. J'entends et je sais : je sais qu'ils sont là, tout au fond, à nous attendre, l'essaim.

J'ai ouï dire que les terroristes sont unanimes lorsqu'il s'agit d'élire ce qu'ils haïssent le plus chez les drones : leur bruit, leur voix, tellement différente de celle d'un avion, d'un hélicoptère ou d'un missile. Moustiques de fer, il est impossible de les voir, de les atteindre. Au mieux, leur bourdonnement permanent parasite le sommeil. Au pire, il annonce l'imminence de la mort. Comme un nuage statique, immobile au-dessus des vies, tout d'un coup s'abat et c'est la fin.

L'orage arrive vers nous. Il faut se boucher les tympans, essayer de s'habituer. Nous n'avons pas de persil ou de cire pour abrutir nos oreilles ; seulement nos doigts, mal foutus, trop gros ou trop fins pour rendre notre intérieur imperméable à l'obsession sonore produite par le vrombissement des ailes mécaniques. Il faut avancer. La journaliste hésite. Je fais un pas en avant, vers la lumière, j'entre dans la grande salle.

146

Ils sont là, tous mes drones, mes bipèdes, mes insectes mutants, mes dinosaures à sang froid, mes poissons d'abysse, ma faune industrielle, ma famille bâtarde alliant végétal et animal au sein de son abdomen de fer.

La salle est immense, couvent à drones au cœur du hangar, nid d'outre-tombe. C'est comme pénétrer dans les alvéoles d'une ruche, en son centre, pour débusquer la reine. Il faut d'abord passer les pions, les fous, les cavaliers, qui s'activent, volent à l'aveugle dans tous les sens, reprennent leur souffle ou plutôt leur batterie, bouchent tous les alentours, condamnent toutes les sorties.

Je peux les nommer, un par un : EAGLEFLY, PREDATOR, QUADRILOPTÈRE, MINIDRONE, PRAEPES ULTRA, FAUCON MILLÉNAIRE, AVATAR SUNSET, DEATH TO THE STARS, MADRAPTÈRE, SÉMAPHORE, DARK EAGLE, SUNSET ON THE BEACH, ALBATROS 3000, YCARE, MOINO, DEATH ANGEL...

Toutes les races sont réunies, enclenchées pour mieux nous accueillir. À leur manière de voler, de s'incliner, de se déployer, de se comporter « en société » — car c'est bien une société de drones face à laquelle je me tiens —, je sais reconnaître les programmes que je leur ai moi-même inculqués à distance, en bon pédagogue : destroyer, provider, killer, sniper, reconnaissance, bombardement, mode furtif, voleur de ressources... Le codage que je tresse des journées entières est en vie sous mes yeux. Je me rends compte des dégâts que ma petite routine professionnelle peut causer : cette armée est insubmersible.

Le plus troublant dans ce face-à-face, ce sont les émotions qui suintent à leur surface, comme si j'étais apte à déceler colères, méfaits, perversions, envies néfastes – mais le regret, jamais. Ils sentent, ils savent ce que je devine en eux, ce que je lis dans leurs veines qu'un fil rouge et un fil bleu suffisent à faire battre, lignes de vie moins complexes que les nôtres, et qui ne rouillent jamais.

Le photographe commence à les mitrailler, en bon paparazzi. La journaliste se tient collée à moi, peu rassurée, elle écoute mes exégèses d'anthropologue numérique : je lui parle des abdomens principaux, imaginés d'après la guêpe, pour leur donner une flexibilité et une résistance à toute épreuve ; des pattes, similaires à celles de la mygale, puissantes mais rétractables, pour assouplir les mouvements au vol et en position arrêtée ; de leur vision, imparable, tel le clin d'œil d'un aigle ; de l'odorat numérique, emprunté au requin, pour sentir la peur jusque dans le sang afin qu'aucun ennemi ne puisse se cacher derrière ses sentiments ; leur vitesse de félin, leurs griffes et leur appétit de grizzly, leurs ailes de ptérodactyles...

Enfin je m'arrête sur l'élément le plus essentiel de leur organisme : l'œil du drone. Mécanique sans paupière, assemblage d'une rétine noire et d'une pupille brûlée, il est l'organe d'une veille permanente et synoptique : drone voit tout, tout le temps. L'œil se compose de dizaines de microcaméras tels les yeux à facettes de la mouche recouverts de millions d'ommatidies. Divin regard, rien ne lui échappe : en simultané, il voit et analyse les vies surplombées, dresse lui-même leur portrait verbal. Greffier volant, juge suprême, pour le drone, tout le monde est présumé coupable. Plus besoin de caméras sur les murs, d'installations dans les villages ou de mises sur écoute coûteuses et rarement efficaces ; cette panoptique portative déterre les réseaux souterrains des terroristes, leurs planques, leurs ateliers clandestins de fabrication de bombes... Puis l'œil attaque, fusille, pétrifie – regard de Gorgone.

À six mille kilomètres d'altitude, au moment d'envoyer son missile Hellfire, le drone n'a qu'une vision floue de la cible qu'il a déjà condamnée. S'il se trompe, ce n'est pas très grave : il a tous

les droits au nom de l'omnipotente sécurité pré-
ventive. Pas de bavure pour l'ange de fer. Le service juridique de l'état-major finira par admettre
quelques mois plus tard, si l'opinion publique est
trop pressante, l'innocence du cadavre. Le bourreau, lui, vole toujours. Mais ça, la journaliste s'en
fout, elle ne veut pas connaître ses défauts de fonc-
tionnement – uniquement ses atouts, ses forces.

Je me sens fatigué par cette proximité nouvelle
avec les drones dont le bourdonnement assèche
l'âme. Ce sont eux le désert, désert vivant : ils
peuvent, s'ils le veulent, tout raser, tout écraser,
tout faire disparaître. Heureusement : ils ne peuvent
pas vouloir.

Soudain les drones viennent à nous, ils nous
encerclent. Ils ont besoin d'appréhender chaque
présence inconnue via leurs capteurs, nous scanner
pour assouvir leur instinct. À cet instant, au cœur
du troupeau volant, je remarque un drone plus
massif que les autres, plus sombre. On dirait un
drone adulte : il surplombe le reste de sa famille,
les surveille d'un air réprobateur.

Je ne connais pas ce modèle. Cette phrase peut
paraître bénigne, elle est capitale : je ne le connais
pas. Ce n'est pas l'un des miens, je le vois tout de

suite, je ne l'ai pas programmé. Il semble doué d'une capacité polymorphe : je le vois hésiter, passer d'un état à l'autre, changeant le mode de ses ailes et de ses capteurs autant de fois qu'il le veut. Un surdrone. Il n'est pas seul, il y en a d'autres, des drones noirs, qui restent perchés tout là-haut, gargouilles qui surplombent la scène, menacent au repos.

Un drone noir se rapproche. Il semble indépendant de toute volonté humaine. Aucun programme ne l'oblige, aucun moniteur ne dicte ses actes : il n'est pas contrôlé à distance par un des pilotes stationnés dans une des tours de la Défense ou sur un porte-avions méditerranéen.

Ce drone est tout à fait libre.

On y est donc arrivé. Le rêve classique de toute science-fiction a pris corps face à moi. À la différence des missiles de croisière ou des drones pour enfants vendus à la Fnac, ce drone noir n'est pas fourni avec télécommande. Il évolue comme bon lui semble : il est sa propre télécommande. Les scientifiques ont beau signer des pétitions pour que l'humain reste seul maître à bord, ils ont échoué. Les hommes ont été exclus de la boucle − sans droit de veto. L'armée et les entreprises ont gagné. Je le sais maintenant, j'en ai la preuve : la guerre moderne a enfanté des êtres à son image, des drones indépendants, robots autonomes. Ça commence par l'ordinateur qui bat un champion aux échecs, ça finit en assassinats banalisés, voulus par la machine. Bientôt, elle nous enseignera l'infini.

Sur les forums de geeks, j'ai déjà lu des récits d'événements troublants à propos des drones, où l'engin, pris d'une soudaine et irrémédiable envie d'indépendance, s'enfuit sans raison dans une direction du ciel – les concepteurs appellent ça un « *fly away* ». Désormais, j'en connais la cause.

La journaliste est émerveillée par cette rencontre soudaine avec le « roi des drones » : elle a trouvé le personnage central de son article. Moi, je suis terrifié, incapable de faire un geste de plus. J'essaye de lui faire saisir le danger de cette autonomie, que ce n'est pas de la science-fiction à portée de main. C'est là. Réel. Maintenant. Et des hangars comme celui-ci, depuis que l'État les a installés sur les différents théâtres d'opérations de l'armée, il y en a à Chypre, en Égypte, dans tous les endroits où il est facile de décoller vers la Libye, la Syrie et de là, vers le désert. Il y en a peut-être même en France, en Bretagne ou dans le Jura.

Elle ne veut rien entendre, elle admire le chef de clan. « Après la poudre et le nucléaire, on va faire

contempler le futur à nos lecteurs : l'arme autonome… »

J'ai envie de vomir, de répandre mon humanité
dégueulasse sur le sol de leur terrier. J'ai envie
d'attraper une arme et de les descendre, de les
abattre en criant « Poule ! Poule ! » comme un chasseur sachant chasser. Je ne tiendrai pas plus de
trente secondes.

Alors je me tais. Longtemps, je reste prostré dans
mon silence qui se change en aversion jalouse puis
en haine. Je suis couvert de l'ombre de mes drones,
fils illégitimes, qui ne saluent même pas leur programmeur, qui s'en remettent désormais à la
volonté unique du seul drone sombre. Même moi,
le hacker, le geek, je suis dépassé comme un octo-
génaire à qui on offre un iPad. Je suis paralysé,
impuissant. J'ai mal. Je ne suis rien pour eux, pas
une cible valable, même pas un risque collatéral.
Rien qu'une donnée parasite qui s'effacera bientôt.

D'autres drones rentrent par le toit de l'usine, amé-
nagé pour qu'un espace suffisant reste ouvert et
permette aux bêtes de partir rapidement au combat.
Et dans chaque nuée fraîchement arrivée, toujours
au centre : un drone noir.

« Ça y est, j'ai ce qu'il me faut. » Le photographe
sonne la retraite. On peut rentrer. Dans le couloir

mort, je jette un ultime regard en biais vers la salle : ils sont là, à m'observer. Ils m'attendent.

...

Alors que je retrace mon périple sur ces pages, tout mon corps tremble encore : la clameur des drones ne me quitte pas, brûle toujours ma peau et mes nerfs. Partout autour de moi, je ne vois plus que leurs regards qui me fixent – des yeux sans visage.

Impossible de faire semblant de dormir. Le désert m'appelle, implore, supplie. Je ne peux pas agir, pas même me lever de mon lit. Le désert insiste. Il me demande de l'aider. D'arracher ce que nous avons construit et qui va le pourrir, peu à peu. Il souffre de cette prothèse funeste cousue à sa peau. J'ai vu cette terre maudite, j'en ai humé le soufre, j'ai été dans la lumière noire et je me suis tenu face aux drones libres.

Les autres ronflent, bavent, pètent, hurlent dans leurs cauchemars. Désert, lui, s'est tu d'un coup sec : il a compris que je ne ferais rien. Agonie du bien portant qui me fige en position latérale d'obéissance – ma soumission est totale. Les drones avec leur dard, héritage de guêpe, percent mes rêves en silence. Les balles ne me sont d'aucun secours. Je suis chargé à blanc.

5 juin

Réveil-rasoir. Je suis convoqué à l'étage des gradés. Ils sont là, tous les sous-fifres, réunis en un tribunal de province présidé par l'envoyé du ministère des Finances. Il tient entre ses doigts le rapport détaillé de la visite d'hier. La journaliste est repartie pour Paris après avoir ratifié une clause de confidentialité – « Tant mieux, sa présence menaçait l'équilibre du camp. » Le photographe, idem. Les Gardiens se terrent dans leur antre. Cela fait de moi le dernier témoin, le seul qui sait. Ils veulent me faire taire. C'est un ordre, un devoir même : partager ce que j'ai vu, ce serait créer une panique « qui n'a pas lieu d'être, un désordre sans fondement. Les hommes ne comprendraient pas la place capitale que prennent les drones… Ils ne le supporteraient pas ».
Je dois retourner à ma tâche – que j'accomplis pleinement, selon leurs flatteries de circonstance prononcées pour endormir mon orgueil – comme si de rien n'était.

J'ose leur faire part de mes inquiétudes : sont-ils allés, eux, dans le hangar ? Ont-ils vu les drones noirs ? Savent-ils qui les dirige ? Ils balayent mes craintes d'un geste désabusé. Ils savent. « Tout est sous contrôle. » Le drone noir, encore une idée économiquement infaillible : pas besoin de pilote, pas besoin de programmeur, il doit même se réparer tout seul...

Je mesure la folie du camp : elle atteint tous les étages, tous les grades. Ils se soumettent à cette technologie car son coût la rend moralement acceptable. Sans prendre la peine de vérifier tous les risques. Drones : syndromes d'une paresse, d'une foi aveugle dans un progrès qui n'est que la version profane de notre chute. Engager la machine à notre place, lui céder notre volonté : le drone nous rend passifs.

Pour la première fois, j'ai la certitude que nous allons perdre. Je ne sais toujours pas quoi.

6 juin

Retour à mon poste. J'aimerais me changer en statue, ou bien en satyre, octave, ours, tuba : peu importe la matière, un bloc inanimé qui écraserait écrans, serveurs, câbles, qui étoufferait l'électricité. Détruire tout, briser la chaîne de production, étouffer les ambitions monstrueuses de croissance. Tout éteindre.

Sinon, jouer le rôle inverse, flirter avec la déresponsabilisation – fille facile. Dans ses bras, je laisserais le monde brûler sans craindre d'être jugé. Ce ne serait pas de ma faute. Après tout, je ne suis qu'un petit fonctionnaire zélé, bon qu'à suivre les ordres. Je débrancherais ma morale, abaisserais ma volonté. J'imagine un précipice garni de mie de pain mouillée qui retiendrait tous les coups : je m'y allongerais, au repos, pour ne plus jamais rien sentir, dormeur du val sans honneur, à la vertu mise sous vide.

Ça ne marche pas, il est trop tard : la peur m'a marqué. Je la porte en moi, fœtus indigne qui prend toute la place. J'ai enfanté ma peur, je passe mes journées à la programmer, à lui donner vie. Je l'ai choyée, ma peur, petite reine, pourrie gâtée. Jouisseuse pragmatique – comme son père.

7 juin

Depuis que ma visite a fait écho, les autres soldats ne sont plus les mêmes avec moi. Leurs saloperies, leurs mots inavalables – tout ça c'est du passé. Ils m'esquivent toujours mais plus pour les mêmes raisons : ils ne veulent pas savoir ce que j'ai vu. Ils préfèrent le bain tiède du mensonge durable – ça les rassure. Le mensonge : un rêve pris sur le fait. Ils s'en tiennent à leur cauchemar.

Avant le réfectoire, Soldat Anton m'appelle : lui qui voit tout veut savoir. Il est différent des autres, il y croit encore. Il a même osé me dire qu'un jour il pourrait faire le mur, traverser le désert, se cacher de la lune, survivre au soleil, crocheter les serrures et de là, trouver la ville, puis l'autre ville, et rentrer chez lui. « Je me râperai un peu les genoux mais tant que la tête tient ils ne m'auront pas. » Je le sens de plus en plus avide de révolte. Jeune pirate prêt à mutiner un navire de mille fois sa taille, il jure qu'il le fera, prend le ciel à témoin, me parle de l'odeur de la poudre et de la foudre.

Mais malgré lui, il a peur. Il a besoin que je lui raconte pour parachever son désir de fuite. Je ne devrais pas lui mentir. Pas à lui, l'ami unique, prêt à y croire à tout prix. Il est admis que la qualité première d'un ami est le parler vrai, le parler cru, recette pour un tartare de sentiments. Je ne suis pas de cette trempe : j'esquive la vérité conflictuelle, la discussion sérieuse, par une anecdote, une mauvaise vanne, un silence confit. Et puis comment décevoir ces yeux qui, même fermés, sont bleus... Je n'y arrive pas.

Tout va bien, Soldat Anton. Monte ta garde. Continue à viser le vide. Continue à faire semblant. Notre heure viendra. Il faut que tu tiennes. Fais de beaux rêves, Soldat Anton. Il n'y a rien dans ce hangar. Que du noir, du vide et de l'ennui. Comme ici, rien de plus. Rien à prendre. Dors bien.

8 juin

Mes jambes sont devenues dures et sèches – de la poussière. Je vis sur les nerfs, organe souverain. Une fatigue surhumaine m'envahit : il n'y a rien à faire. Coder & dormir : temps circulaire, sans rupture ni ligne, seulement des recommencements, au mieux des restaurations. Je n'ai pas le courage de m'en extraire. Pour quoi faire ? Relire à l'infini les prophéties de BlueMonday_88 ? J'aurais mieux fait de l'écouter : rester dans le confort de mon ignorance. Ne pas aller voir les drones.

Envie d'en finir avec ce journal : veiller avec ses mots, c'est trop peu. Impossible d'écrire plus, j'ai le cœur qui coince.

10 juin

Des corps en lambeaux, entassés, ramenés à l'arrière d'une jeep, ont fait leur entrée dans nos jours – le camp est en émoi. En émoi, car cette apparition nous rappelle l'idée de la mort : la mort subite, saignante, qui fait suinter au soleil le sang mal coagulé des bouts de chair. La vraie mort, celle pour laquelle on avait signé, la mort des films et des télévisions.

Cette idée de la mort glorieuse, au combat, on l'a tous en nous, c'est elle qui nous lie. Mais elle a séché dans les jours sableux, dans la poussière qui se mêle à nos cernes et à nos automatismes désenchantés. Notre idée de la mort a péri. On s'en est trouvé une autre, bien plus terrifiante : la mort lente, à petit feu, quotidienne, poussive. Mourir de rien, c'est le pire. Ce sont les ordres.

Nous sommes rassurés. Si les cadavres ont eu cette chance, pourquoi pas nous ? Malgré les invectives des gradés, tous les soldats se hâtent pour venir voir le charnier, contempler cette fin désirable. Il y a de la jalousie en nous, spectateurs. Qui sont-ils ? Pourquoi sont-ils morts à notre place ? Pourquoi ont-ils cette chance ? Qu'ont-ils de plus que nous ? « Tout, puisqu'ils sont morts. »

Ils ne viennent pas du camp. « Ils sont d'un avant-poste, à l'ouest. » Tout s'explique. L'avant-poste devient en un dixième de seconde la destination rêvée, un idéal balnéaire. La mort s'est changée en espoir. N'est-ce pas la preuve que nous devenons fous ? Quand les valeurs se renversent, le bon sens nous quitte, avec la raison… N'est-ce pas cela, devenir fou ? Souhaiter la mort pour se sentir vivant ? « Comme les djihadistes… » Tu as raison – je ne sais pas qui parle, qui ouvre les guillemets à ma place. La voix au fond de moi ou la parole d'un des gars. Peut-être un peu tout le monde. Nous.

Je regarde ce tas de corps enviés. La chair ouverte, blessée ou morte, est plus belle que lorsqu'elle est intacte. Leurs plaies ressemblent à des bouches véraces aux lèvres rouges tour à tour hilares, grinçantes, cousues – des bouches de putains. Elles ont été creusées par une arme ultramoderne, étonnamment précise – pas une Kalachnikov de terroristes.

Il doit y avoir huit, peut être dix soldats réunis en morceaux, des bols de porcelaine qu'on aurait jetés sur le sol, puis qu'on aurait recollés à l'aveugle, avec du Scotch. Leur anéantissement est total, interdisant toute sépulture, toute reconstitution. Le corps dans cet état redevient une entité mathématique, une construction qu'on peut chiffrer,

161

ajouter, soustraire, comme des Lego. Ils sont entassés sans vraiment d'ordre ni de sens. Le voyage n'a pas aidé à ce qu'ils retrouvent leur forme initiale. Secoués, jetés les uns contre les autres, ils ont des ombres hybrides, celles de soldats au corps agrandis, armés de trois bras, cinq jambes et de mille organes. Ce sont des héros maintenant, ils m'impressionnent.

La suite est trop banale pour ces braves : on recollera les bouts, du mieux qu'on peut, pour glisser le corps dans un cercueil biodégradable qui aura l'odeur de l'éther, sucrée et agressive, direction la France, avec un mot du ministre officialisant que cette dépouille a servi l'intérêt général. Pour qu'aucun ne reproche leur absence.

L'image du charnier reste en moi jusqu'au soir. Au dîner, les dames de la cantine, d'humeur taquine, ont eu l'idée de servir des spaghettis bolognaises. La viande hachée, très mathématique elle aussi, quitte nos têtes, direction l'estomac. Des braises de chair, sur l'assiette, qui suintent pareilles aux morceaux de soldats. Au moins nos cauchemars seront accordés à tous nos sens. Au moins notre merde demain matin aura plus de cohérence que notre présence ici.

11 juin

Nuits blanches de rigueur dans le dortoir. Nous faisons tous semblant de fermer les yeux, moi comme les autres. Je suis banalement identique au reste : j'ai glissé du Je au Nous, nouvelle hérédité. Pour résister, chacun raconte une histoire à la chaîne comme un argument en faveur de nos vies qui résonne dans tout le baraquement. Le plus souvent, une banale anecdote de cul, récit lapidaire tourné autour d'une seule exclamation qui durcit les corps et fait s'esclaffer les ressorts en fer des lits. Parfois, plus rare, le récit triste d'un souvenir d'enfance. Les voix s'éteignent peu à peu, enfin soulagées. Restent à la fin les plus seuls et les plus soumis à leur peur.

Ce soir, j'en fais partie – des derniers éveillés. Pas loin de l'aube, un cri surgit. C'est un soldat, vivant-mort, qui hurle, frappe de sa tête contre les murs, se débat entre les lits, réveille tout le dortoir. Ses mots se creusent en nous. Il parle des drones. Il dit que c'est de leur faute. Que ça ne peut être qu'eux. Qu'ils ont tué nos frères du 10 juin. Nous sommes les prochains. Il se roule par terre, dans la poussière chaude, il appelle sa mère. Les soldats de garde débarquent à leur tour, accompagnés d'un gradé tout endormi. Ils le saisissent, le secouent pour le faire taire, pour le vider. De nos lits, nous laissons faire. Ils l'emmènent au trou des fous. La petite prison toujours vide à la limite du camp. On sépare le corps malade : principe d'isolation pour éviter toute contamination. Ils le traînent par le col, il s'arrache les poumons. « Rendormez-vous, c'est rien », ordonne le gradé. Le fou a disparu, emmené loin de nous, réduit au silence.

14 juin

Il a suffi d'un cri. Les psaumes du fou n'ont pas perdu de temps pour devenir rumeur. Une fois logée au chaud dans les corps, elle s'éternise. C'est comme avec la gale, contagion que je connais bien pour l'avoir rencontrée à deux reprises : tout un corps squatté par des démangeaisons – il était à chaque fois question de *hautes herbes*.

À l'aube de l'enfance, juste avant l'âge des retouches, j'ai fui dans les bois, pour disparaître de la vie voulue par les grandes personnes. J'avais lu que l'aventure ne s'attrapait qu'en courant. J'avais toujours voulu essayer mais je n'en avais pas le courage. Un matin, je m'y suis mis. Ce n'était pas mon idée mais celle de mon cousin, très fort pour mettre en branle sa volonté par les actes des autres. Suiveur attitré, je me suis retrouvé à courir seul, sans meneur : il n'était pas allé jusqu'au bout. Je continuai ma course, sans m'arrêter, sans but. La fatigue me stoppa lorsqu'elle prit entièrement mes membres mal taillés pour ce marathon intime. Je me suis alors allongé dans une clairière et lorsqu'on me retrouva – je n'étais pas allé loin sur la carte mais dans ma géographie d'enfant, j'avais atteint un autre continent –, j'avais ramené la gale et une fessée devenue légendaire. C'est le mec de ma mère qui m'avait puni : il voulait jouer au père, à l'époque. Ma mère était trop inquiète pour appliquer le règlement. Il fallait bien que quelqu'un me fasse payer le coût de ma fugue.

J'ai attrapé la gale une seconde fois – encore les hautes herbes : celles d'une femme cette nuit-là, une Brésilienne, rencontrée à un salon international de hacking. Même les clandestins ont des rêves de conventions, de tapis rouges, d'*awards*. On n'échappe pas au besoin universel de reconnaissance. Après la remise des prix, la fête : mes potes m'ont trouvé une fille avec qui passer la nuit. De sa clairière large, je ramenai la gale ainsi que d'autres sentiments.

Je suis assez docte en gale. Ça n'apparaît pas tout de suite : elle s'installe en douceur puis commence à piquer, mordre là où le corps tire le plus, dans les coins, à l'ombre des oublis. Les sillons se

165

creusent, tissent, se joignent, créent des ponts maudits, des avenues rouges sur la peau en péril.

Nous sommes malades, malades de la même certitude : quelque chose joue un tour à nos vies.

Et si le fou avait raison ? Son diagnostic est contagieux : les décideurs autorisent les drones à tuer nos soldats pour augmenter le nombre de morts et accélérer le rapatriement des contingents humains.

Cette idée s'est répandue dans tout le camp, des lits aux gamelles, du rempart aux caméras, jusqu'à mes mains qui programment les drones. Même dans les yeux de mon superviseur, habituellement dévoués à la même lueur blanche de connerie, je retrouve la noirceur de la peur collective. Elle nous démange, la nuit surtout, quand c'est trop silencieux pour penser à autre chose.

On voit de moins en moins de soldats seuls parcourir le camp. Les corps s'amarrent, s'aimantent comme si ça les rendait moins cibles. Les vaillants veulent « faire quelque chose », parlent de prendre en otage l'envoyé de Bercy désigné comme responsable, ou même le hangar noir des drones. Je n'y crois pas.

18 juin

Les gradés ont mis quatre jours à réagir. Un troupier peureux a laissé fuiter l'odeur du vent terne
qui s'est propagé dans tout le camp. L'état-major
a décidé de nous sortir, nous envoyer en mission
histoire de dompter la colère, l'étouffer dans le
sable, mettre un terme au jeûne de notre action.
Une saignée s'impose histoire de relâcher la pression – catharsis que les hommes n'osaient plus
espérer. Ils ont appelé ça le programme
« Redéploiement ». La rumeur aura au moins eu
ça de bon.

Ce matin, alerte générale. On nous sort du lit à
coup d'alarmes. Il faut s'habiller le plus vite possible. Lacer la paire de rangers. Attacher le gilet
pare-balles. Sortir de son coma le fusil-mitrailleur.
Vérifier qu'il est chargé, ça fait si longtemps qu'on
a oublié ce qu'il contient. Enfin des cartouches à
dépuceler : elles scintillent. On oublie la peur l'espace d'un éveil : il est si facile d'inverser la pensée
d'un homme. L'ambiance est à l'avant-fête. Les
soldats chient à la chaîne, pour passer à l'acte le
ventre vide. Ça parle jeep, blindage léger, lance-
roquettes et objectifs. Même dans la croûte de
l'ennui, il reste des objectifs à gratter, jeux de
hasard sans gain.

J'en suis – affirmation délicieuse, impensable à mon arrivée au camp. Je les accompagne car tout le monde a le droit à sa part de feu de l'action. La toute première pour moi. Je suis vierge donc impatient et peureux. Prépubère.

Briefing dans la cour centrale. On nous regroupe en régiments, chacun son PowerPoint avec son plan de route. Un gradé déclame des consignes que personne n'écoute. Les yeux sont clos, déjà là-bas, de l'autre côté du mur, guettant l'ennemi tant désiré. Tirer, tirer, tirer. Sur qui ? Pourquoi ? On répondra plus tard. En bon élève qui veut comprendre, je suis attentif. Mais je me perds dans les données. Il va falloir suivre, imiter.

On nous met à l'arrière d'un camion. Je suis assis à côté d'un type qui pue la transpiration mais ça ne me dérange pas, ça fait couleur locale. La porte en béton armé de l'enceinte met un temps fou à se soulever, à nous laisser sortir, comme si elle refusait de nous libérer du camp. Absurde d'avoir choisi le béton pour une installation censée être provisoire, comme notre présence ici… Je regarde Soldat Anton, privé de sortie et forcé de rester en sentinelle avec les snipers. Il me fait un signe de la main ou alors c'est moi qui invente. Il fait trop chaud pour trancher. Le camion roule au ralenti, il suit une jeep, un tank et un autre camion – tous forcés à la queue leu leu à cause des mines. Ce nom résonne comme une vieillerie quand je le compare au drone noir.

Le camp disparaît lentement, au fil des dunes offertes, et j'ai l'impression de partir en voyage. Je regarde le désert strié à travers la bâche sombre. Il laisse apparaître quelques traînées blanches, des gisements merveilleux. J'aimerais m'arrêter, prendre le temps de toucher cette roche fraternelle, m'y ensevelir. Mais derrière, d'autres véhicules attendent, suivent, le camp rétrécit encore. Et le hangar des drones, au large, se moque de notre petite sortie thérapeutique.

Ça prend un temps fou. J'ai mal aux fesses. J'ai chaud. J'aurais préféré marcher, jouer au troupier de l'armée en campagne. Ça aurait eu de la gueule.

Nous visons une position renfoncée dans un petit ravin, au pied d'une dune. Ça devrait le faire. Les barbus ont l'habitude des attaques de drones, la nuit, quand le vent efface les hurlements de la machine et des missiles. Mais nous, ils ne nous attendent pas, ils nous ont oubliés. Ils ne savent même plus ce qu'on fout là.

J'entends les balles siffler, un soldat hurle, touché par une déflagration. Brûlure de plaisir, fulgurance de l'action. Nous avons été découverts. Je comprends que tout a été fait pour qu'on le soit – un convoi bruyant qui serpente en plein jour dans les plaines vides, ça ne passe pas inaperçu. Certains des nôtres tombent : méthode imparable pour que l'état-major provoque de la mort naturelle, si j'ose dire. Ainsi, la rumeur se trompe, ce n'est pas la faute des drones, ce n'est qu'une grande connerie que nous nous sommes forgés tout seuls dans nos têtes.

Je suis au sol, entouré de mes camarades, figurants comme moi, qui tirent parfois, se cachent souvent. Attendent. On cale son arme à l'aveugle, vers la clairière, en bas, sans vraiment oser regarder. C'est moins drôle que l'entraînement en Oculus Rift : dans le monde digital, au moins je vois ce que je touche, et je suis bien assis. Là, on ne fait que tirer. C'est tout. Ça nous suffit. Tirer pour exorciser l'ennui et la peur qui nous attendent au camp, sans inquiétude, tels des parents confiants en leur progéniture.

Je tiens mon arme comme un cerf-volant. Je vois les sourires des gars qui font du bruit. Peut-être est-ce le son des douilles qui tombent sur la peau du désert toujours calme, lui. Brusque et stridente clameur des balles. À quelques mètres, les grondements de grenades montent par vagues successives.

L'explosion touche jusqu'à la moelle. Ça vibre, c'est agréable.

J'ignore si les barbus ripostent, j'ignore même si nous les avons touchés. Soudain tout le monde s'arrête, fatigué par cette fièvre retrouvée. Dans le ciel, au-dessus de nos têtes, les drones font des rondes. « Ils nous couvrent ! » hurle un soldat. C'est faux. Je connais la vérité. Elle porte le nom d'un programme que j'ai moi-même créé : *Guardian Angel*. Ils nous surveillent. Ils n'ont pas confiance.

Une voix s'élève pour remettre de l'ordre, redonner l'appétit de l'avant. Nous avons le droit de nous lever, mais doucement. Prudence. Il paraît qu'un des nôtres s'est troué, quelque part, au bout de la file, car il s'est levé trop vite, le con. Je le plains un peu mais j'aurais bien aimé faire comme lui, jouer au héros premier debout, premier rentré.

Je n'y vois pas grand-chose. Le ravin est gorgé de poussière causée par nos tirs précipités, nos chargeurs frustrés, des salves de mort. Pas de consigne : les chefs brillent par leur absence. Je me tiens droit, l'arme chaude contre mon bas-ventre essoufflé par l'adrénaline. Je me sens *désarmé*, participant à des actes dont je ne connais pas les fins.

La poussière retombe. Je vois se dessiner non loin une minuscule guérite couverte de pustules, nos coups ont taché ses murs. Des ombres au sol la décorent. Je les distingue mal, j'ai la vue suante. Personne ne bouge, j'attends pour faire comme tout le monde, retour de la posture ennuyeuse. Le plaisir n'aura pas duré longtemps. D'un seul coup – *d'un seul corps* –, on dévale la dune – marée rougeoyante. Je cours à ne plus rien sentir. Tout se brouille. On approche enfin du but. Les ombres se précisent, de vieux bédouins criblés de trous.

Nous restons en alerte. Les ombres pourraient se lever, resurgir. La horde entoure la maison, un petit groupe est envoyé en éclaireur pour vérifier l'intérieur. Un coup de feu retentit. Suivi d'un autre. Frissons. Puis… plus rien. Ils ressortent avec trois barbus encore vivants qui s'étaient planqués dans un souterrain.

Nous les alignons contre un mur, les mains liées. Ils sont vieux, déjà branches sans sève, ridés, inoffensifs. C'est donc ça les terreurs du califat qui font trembler l'Occident ? Des bouts de bois mous, collés les uns aux autres, qu'on tord pour montrer qui commande.

Nous leur crachons au visage, donnons des coups dans leurs restes, titillons sans achever. On arrache une dent, on découpe une oreille. La torture fait passer le temps – plaisir de félin, jouer avec la proie méprisée ensuite, lui préférant la tiédeur d'un bol de lait. De toute façon ils n'ont rien à dire, rien à nous apprendre. Ce sont des sous-fifres, engagés parce qu'ils avaient la barbe assez longue, des paresseux, pauvres hères laissés là pour garder une cache d'armes à moitié vide. Jadis, il devait y avoir un village, quelques chameaux, de l'ombre et du sel dans les plats. Les terroristes sont venus après avoir été chassés d'ailleurs. La population n'a rien dit : elle aime les libérateurs tant qu'ils donnent à manger et à vendre. La croyance, derrière ? Ça ne pèse pas.

Nous mettons le feu à la maison. Outrepassant les ordres, cet élan pyromane nous semble nécessaire pour aller jusqu'au bout de nos actes. Quelques gars s'amusent avec les cadavres. Ils leur arrachent un œil, les émasculent et pour mieux les déshonorer, étouffent leur bouche sans souffle de leurs propres intimités – trophées du vainqueur par défaut. Leur façon de répondre à la communication saignante du califat, en retournant l'horreur, comme exaltée, dans le miroir.

Deux des barbus encore vivants sont rapatriés au camp : on les interrogera, avant de leur faire subir un peu de chirurgie esthétique, ça calmera les hommes, surtout ceux restés à surveiller le désert vide, comme ça, pas de jaloux. Ils n'ont pas inventé de drone pour la torture – elle nous appartient encore un peu.

Mais le troisième ? On n'a pas la place. En plus il pue, il saigne. Il a été touché à la jambe, il n'en a plus pour très longtemps. Il faut l'achever. Les gars me désignent bourreau. Pour eux, je dois faire mes preuves à vide, prendre la crosse et viser juste. Montrer que je suis l'un des leurs – définitivement.

On pousse le vieux face à moi. Sa tête vacille, semble prête à se détacher : elle ne désire que ça, se délier, en finir, que je la libère. L'homme est tenu par deux soldats inutiles puisqu'il semble ne plus pouvoir bouger : un tronc pourri, décapitable. Je tremble face à cette roche sans grandeur. Je tremble face à cet ordre qui m'impose d'être le tueur.

Les gars attendent. Ils ont hâte de m'accueillir. Je dois tirer, vite. « On l'a gardé spécialement pour toi. » Au début, je veux refuser, démissionner du tueur en moi, revenir à leur mépris et à leurs regards excluants. Refuser de tuer, c'est refuser de choisir. France ou Allah, on s'en fout – je l'ai déjà dit, la croyance ou la patrie ne sont qu'une prothèse. Ce sont ceux qui ne prennent pas parti, comme moi, qui leur font peur. Je n'ai plus le choix. Ma mutation doit être complète. Je pointe mon arme qui, obèse à cet instant, m'étouffe. Ça devrait venir de moi, la volonté de tuer. Pas d'un autre, pas d'un ordre. Pas de leur attente, pas de ma peur. Ça devrait être moi qui décide, qui choisis de le faire. C'est ce que me susurre ma morale spontanée, ma morale justifiante – absente qui a toujours raison. Ta gueule.

Il le faut. Agir pour la première fois : approcher mon doigt de la détente. Viser, pour faire semblant, cette peluche déjà mourante. Tenir fermement ma pompe-à-sang, on me regarde, il faut avoir l'air d'y croire. Je veux tirer, conjurer le sort de ma nature passive, de mon désengagement. Je vais tirer.

Mais l'arme s'enraye, dans un bruit de vagin trop relâché. Elle me refuse. Pétard mouillé. Échec.

Un gros soldat m'écarte et explose d'un tir sec la tête du pauvre homme qui semble heureux de mourir – mon hésitation a dû lui paraître insupportable. Je suis triste comme lorsqu'on écrase un petit rongeur en voiture. Mais cet état n'est que passager.
J'entends des rires pointés sur moi, je me retourne, je vois des épaules baissées et déçues par mon geste

manqué. Je ne les ai pas rassurés. Je ne serai jamais l'un des leurs. Verdict irrévocable, ma fatalité.

C'est l'heure de rentrer.

19 juin

Retour. Personne n'est rassasié. On nous avait promis un point stratégique, une cellule dormante – quelque chose qui compte. Au lieu de ça : partir à cent, toutes voiles dehors, pour écraser une dizaine de barbus qui surveillent une maison vide. Mascarade pour nous soulager, un os à ronger. Nous ne sommes pas dupes. Même les corps n'y croient plus : l'absurdité de nos actes, sentence insubmersible, remonte jusqu'aux glottes par l'œsophage et autres tuyaux, plomberie humaine qui m'exaspère. Je suis constitué en majorité de trous.

L'espace d'un instant, ça m'a rassuré. La guerre était bien là, de face. Nous n'étions plus au balcon, à attendre que ça vienne. Nous voulions faire ça bien. Pour quel résultat ? Une insignifiance qui ne donne à voir que notre propre vide.

21 juin

C'est l'été, l'été pour tout le monde. Sauf pour nous qui regardons le sacre de la saison mensongère de derrière la cloison. Notre seul spectacle, le soir, s'affiche sur les réseaux sociaux où nous arpentons hashtags, feed, statuts, likes, tous en quête d'un visage qui a eu un sens, d'une jupe courte ou d'un bout de blague qui nous a appartenu. Notre passé est un pays étranger. Adjugé à l'oubli.

Mon présent est révélé, inutile. J'ai conquis le secret des soldats – la peur dans leur cœur – et le secret des drones. Seul le désert reste flou, dernier des mirages, car on m'en interdit l'accès.

23 juin

Cauchemar. Je suis la tête chercheuse d'un missile Hellfire. Je ne maîtrise rien. On me télécommande. Je me dirige vers le sol, soumis à la volonté d'un autre – un *dream operator*. Derrière son moniteur, au chaud, à six mille kilomètres, offshore, il dirige mes mouvements, martyrise mes actes. C'est mon marionnettiste, divin génie : j'obéis. Ma chute s'accélère. Je vois le sol qui se rapproche. Bientôt le contact avec la cible. Deux hommes à l'intérieur. Un troisième approche, entre à l'arrière du véhicule. Il a l'air plus petit encore : c'est un bambin. J'aimerais m'arrêter, esquiver, freiner, dévier. Impossible. Ce n'est pas de ma faute. Je n'ai pas le choix. Ne m'en veux pas. Il doit avoir huit ans. Je vais lui tomber dessus. En plein dans le mille. La terre est là. À mon arrivée, elle s'embrase. Puis tout s'éteint. Une voix, dans l'oreillette : « Bien joué, tu l'as eu. » J'ouvre les yeux.

La seule consolation de la matinée est d'ordre fécal. J'en reviens au plus bas quand le reste me refuse. Chez l'homme, c'est par là que le bonheur commence.

24 juin

Six jours que la mission a eu lieu, et elle s'est déjà fossilisée en moi. Je me demande même si je suis vraiment sorti, si j'ai vraiment tiré… Je suis retourné à ma place, derrière l'écran, où l'on me fait croire que j'ai « les commandes ». Faire semblant – toujours.

Pour m'échapper je m'imagine 'en permission. Ce mot, il brille, support de voyance : Per-mi-ssion. Je le couve sous la langue le plus longtemps possible. C'est une sucrerie secrète, une douceur qui

pénètre mes tissus et monte jusqu'aux rêves
– éveillés, cette fois, c'est mieux.

Je suis chez moi, à Paris, je dévale la rue et laisse
les enseignes s'accrocher à mon être tels des atomes
voleurs. Je me perds sous l'arcade de l'œil de la
ville au son d'un Rivoli Boogie Woogie. Tout
peut se confondre. Je suis à Hossegor, en vacances,
les vagues coulissent, s'offrent un slow de dunes,
me retiennent par leur ressac, sous la lune rousse.
Je suis face aux falaises qui appellent mon nom et
assurent que je leur manque. Je suis en Normandie
avec cette femme qui ne m'aime qu'en silences.
Je suis au passé avec cette fille perdue de vue et
nous ne refaisons pas les mêmes erreurs. Je suis
dans la campagne suédoise, terre natale de Soldat
Anton, où il m'a promis de m'emmener un jour,
quand tout sera fini et qu'on pourra être amis sans
être soldats. J'en oublie la tête entrouverte du barbu
otage, explosée par dépit, de la main frêle des
frères fusilleurs. Il faut continuer à croire que le
temps des plus laides lâchetés de l'homme est aussi
celui de son plus beau courage.

Pendant un instant, l'espoir revient et masque nos
récents déboires. J'aimerais partager mon échappatoire, lui donner un sens commun. Mais la décep-
tion est trop forte, trop généralisée, elle revient

toujours, cogne les tempes : elle sait étourdir quand on veut la quitter.

Permission. Grâce à toi, le jour est passé sans conscience. Mais le soir tombe, guillotine : mes rêves sont vides. Je n'aurais pas dû en abuser la journée, j'ai été trop glouton. J'aurais dû en garder pour la nuit.

25 juin

On annonce les représailles des terroristes, festivités inattendues : maquillés en Action Man, les hommes du califat ont mis en ligne la vidéo de la décapitation de deux journalistes, otages du désert depuis huit mois, et d'une infirmière bénévole de Médecins sans frontières, attrapée après la prise d'un camp de réfugiés. Les images semblaient attendre, dans le lit douillet d'un disque dur, qu'on agisse, qu'on sorte de notre trou.

Les gradés sont tout contents : ça fait toujours bien, des représailles, ça montre qu'on fait notre boulot puisque l'ennemi se venge – logique implacable du militaire. Puis ça permet de contrer la rumeur : s'il y a revanche c'est que notre mission en valait la peine, ce n'était pas une mise en scène. Les gradés peuvent se pavaner et nous réprimander. Ils adorent ça.

30 juin

Soldat comme un autre – elle est là, ma sentence.
Les jeux du soir qui m'étaient mystérieux, je les
connais par cœur désormais. Tous les rites me sont
familiers. Les traditions de cantine ou de salle de
bains – engrenages du cérémonial. Les soldats qui
comptent leurs bouts de poulet dans l'assiette pour
les comparer aux autres ou qui prient avant de
manger, seule trace visible d'une forme de croyance
dans le camp. Dans le dortoir, le soir, je me déplace
à l'aveugle car j'ai retenu l'emplacement des pieds
de lit et des crevasses. Il n'y a plus de secrets ici.
Une vie sans secrets ne vaut rien.

2 juillet

Une pesante mélancolie s'abat sur le camp : la peur
change de visage, elle se fait plus adulte, plus triste
– grise. Elle est en marche depuis le début mais
il a fallu attendre qu'elle m'envahisse pour que je
la conçoive dans toute sa clarté. Ma vie consignée
me pèse : la lumière n'est pas la seule à manquer,
l'espace aussi, les murs se rapprochent, le camp ne
m'a jamais paru si fermé, et mes mots, encerclés
ici-bas, se resserrent.

J'ai pris un raccourci dans le camp pour ne pas arriver en retard à mon poste, mais une main m'attrape par le col et je sens dans sa poigne l'importance embusquée derrière ce geste. Elle me tire vers un cercle restreint de plusieurs visages. Ils veulent me parler. Ils se présentent comme une « secte » – ça doit leur plaire, l'interdit qui fait brûler ce mot. Au départ, ils s'appelaient les « Ladies Killers » – tradition dans l'armée : le groupe de potes qui baise le plus a le droit à ce titre honorifique. Mais le désert offre trop peu de distractions, et les filles des vendredis virtuels, proies trop faciles, ne comptent pas. Ils ont changé de nom. Désormais, ils s'appellent les « Drones Killers ».

On a commencé à entendre parler d'eux quelques semaines auparavant, en même temps que la rumeur. J'avais du mal à croire que les ombres puissent se soulever contre la certitude qu'on sera tôt ou tard remplacés par les machines. Je ne pensais pas que leur action irait plus loin que quelques graffitis sur le mur des chiottes, ultime pan d'expression libre où l'on trouve toutes sortes de hiéroglyphes tracés à l'ongle et au désespoir.

Mais la main est bien là, ferme, sur mon épaule ; elle me ramène à l'obscurité d'un angle mort. Il faut chuchoter, courber la nuque, prendre la posture de la conspiration. Tout ce qui est intéressant se passe dans l'ombre.

Ils vont passer à l'acte. Bientôt. Ils se sont désolidarisés des gradés et de leur inertie. Ils veulent agir, sentir sur leurs visages l'air vibrant de la lutte. Ils me demandent si je veux en être : ils savent que j'ai accès aux données, que je suis déjà allé dans le hangar. Ils veulent frapper un grand coup, se « libérer du joug des drones », « reprendre la volonté que nous leur avons cédée », « reconquérir notre autorité » – je recopie leurs formules, leur doctrine de mutins.

Qu'ont-ils de plus que moi ? De plus que les autres ? Pas du courage : ce mot a été banni. Ils ont moins de dents, car leur temps ici fut plus long, creusant leurs traits. Dans une entreprise classique, l'expérience est valorisée, chouchoutée. Au camp c'est le contraire : elle est crainte. Personne ne se risquerait à croupir ici, on attend tous le bon de sortie. Paraît que l'armée veut commercialiser une crème 2.0 qui effacerait les traces crispées de l'attente et du doute de nos visages. En théorie : pour que l'ennemi se heurte à une armée de vingt ans d'âge maximum, des visages de l'innocence pour le faire douter. Au fond de moi, je pense que c'est pour éviter aux soldats le choc de

183

se regarder dans un miroir. Ici c'est comme vivre à la rue : on fait tous plus vieux, plus ridés, plus peureux et plus froids. Ici, on ne peut pas être et avoir été.

Ce qu'ils ont de plus que moi, c'est leur peur – toujours elle. J'envie leur peur. La mienne me paralyse, m'étouffe : elle justifie mon incapacité d'agir. La leur, plus ample, les pousse à s'en défaire.

Je me rappellerai toujours mon arme qui s'enraye au moment de tirer. Même quand je veux, je ne peux pas.

Je décline la proposition : je refuse de prendre part à leur lutte. Dépités, ils n'essayent même pas de me forcer. Ils ont vu la lâcheté dans mes yeux.

6 juillet

Nuit-mollusque, honteuse, à marée basse. Entre les corps mous, le mien, après avoir rejeté le SOS, peine à s'éteindre, à laisser reposer le muscle tendu par le vide. C'est difficile à croire mais le vide est une pression plus forte que le reste.

...

Des claques me remuent pour m'extraire du gouffre où je me suis finalement laissé tomber. Il se passe quelque chose. Je crois l'espace d'un instant à une attaque surprise mais mon esprit me rappelle : ce n'est pas possible, c'est *autre chose*.

Les hommes ont l'air joyeux : la rébellion a commencé. Le dortoir est vide, tout le monde s'est précipité sur les remparts. Ce n'est pas parce qu'on a refusé d'en être qu'on ne veut pas voir. C'est un beau moment que celui où se met en mouvement un assaut contre l'ordre du monde. On ne voudrait pas rater ça.

Les Drones Killers viennent d'atteindre l'autre côté du mur. De loin, ils ressemblent à des poux excités qui sautillent anarchiquement. Certains gardes pris dans l'euphorie de l'action de groupe les accompagnent, les autres ont laissé faire – tradition du Grand Jeu que m'avait enseignée Soldat Anton : on respecte celui qui s'échappe et joue sa vie jusqu'au bout, seul acte pour lequel on trouve encore des *volontaires*.

Ils sont armés donc lents, ralentis par leurs fusils d'assaut, surchargés dans tous les sens du terme. Ils se dirigent vers le hangar des drones, épicentre de leur peur, cible fantasmée : ils veulent le faire sauter. Il n'y a pas d'alternative, ils n'ont pas d'autre plan.

185

Même à distance, on sent leur excitation au moment de pénétrer la zone interdite où s'élève le lourd bâtiment noir. Grandeur de citadelle calcinée face à leur petitesse : deux pièces qui s'emboîtent parfaitement. Je m'attends à une riposte des Gardiens, c'est leur job après tout de défendre le hangar. Mais le tumulte tombe d'un seul coup. Les Drones Killers lâchent leurs armes et s'échappent dans la direction opposée, le plus vite possible.

L'attaque surprise, avortée, s'est transformée en fuite désespérée. Maintenant, ce sont les drones qui couvrent le ciel, essaim furieux échappé en quelques secondes de la ruche noire pour régler ce litige de voisinage. Ils tirent sans pitié – de toute façon le programme « pitié » n'existe pas.

L'état-major n'intervient pas malgré nos protestations. Pour eux, « ça servira de bonne leçon » : il n'y a pas de révolte possible.

Pas de retraite. Les survivants tentent de s'échapper dans le désert. Les drones les suivent calmement : ils savent dans leur système comme je sais en mon âme que la chasse à l'homme est gagnée d'avance. Aucun ne s'en sortira.

Rare vision de soldats désordonnés, enfants perdus poursuivis par leurs armes devenues leurs ennemies. Ils apparaissent tels qu'ils sont : des hommes engagés à la bêtise innocente. Ultime sursaut, les corps se cabrent avant de tomber avec violence, fauchés par les balles ou par les explosions. On observe le spectacle du massacre, protégés sur notre rempart de toutes les atteintes, celles des drones et celles du remords. Les petits corps se sont endormis dans le désert d'or. Quelques-uns courent encore mais plus beaucoup. Il y a des groupes tombés ensemble, serrés par la peur, des étreintes fraternelles, des morts à deux enlacés, un rang entier couché par la même mitraille. Les plus pathétiques sont ceux qui ont rampé pour mourir seuls, comme des bêtes – des idoles. Des Innocents. « Frappés tels les premiers-nés dans le pays d'Égypte » – le dernier est tombé.

Les drones volent vers nous : ils nous amènent une preuve de leur victoire. À notre hauteur, comme sur un plateau, ils nous montrent les têtes de nos frères guillotinés, récoltées entre leurs tentacules.
Parmi elles : Anton, plus soldat pour le coup, juste crâne. Ses yeux me fixent encore. Même fermés, ils sont bleus. Même mort, il a assez de ciel sous les paupières. Mes larmes sèchent toutes seules.

La vision est insoutenable, pourtant je m'oblige à la fixer le plus longtemps possible, à la garder en moi pour toujours. Tous coupables d'avoir *fait*, sacrifiés.

Plus besoin de forcer l'ennemi à se découvrir : il est là, face à nous, il vient de nous. Le drone noir et ses clones, bourdonnement dans les airs, tous capteurs dehors, encore prêts à tuer. Face à moi.

Fin de la mutinerie.

7 juillet

Impossible de se dégager des images de la répression : elles enlacent mes sens, chuchotent derrière toutes mes routines. Têtes coupées devenues saintes icônes de ma peur. Je dis « ma peur » comme on dit « ma vie », comme un fait contre lequel on ne peut plus lutter.

Les gars ont demandé à récupérer les corps pour leur offrir une sépulture, un hommage d'hypocrites – c'est plus facile de célébrer les morts quand on s'est tenu à l'écart, quand on a refusé de partager leur fin. L'état-major a refusé.

Les journaux en France parlent d'une embuscade terroriste d'une rare violence – trente-trois soldats ont été décapités. Trente-trois petits pavés noirs qui couvrent la mosaïque des pages nécrologiques. « Morts pour la France » : mensonge imperceptible. Pas pour moi : derrière les absents, je vois les têtes carbonisées à ciel ouvert.

9 juillet

Un camarade du dortoir me propose un peu de drogue chronophage – un bout de shit tout noir, étron pesant qui stabilise, court-circuite, empêche les sursauts de l'insomnie, hallucinations éparses d'agonie. En moi, l'effet s'estompe trop vite, ça marche les trois premières heures puis les crampes reviennent plus fortes et se vengent. J'ai arrêté d'essayer.

10 juillet

Je marche sur le peu de lumière qui me reste, au milieu du camp et des soldats-zombies qui flanchent : rester debout, c'est prendre le risque de s'écrouler en permanence.

13 juillet

Venger Soldat Anton : Objectif Lune. Est-ce possible, ou plutôt : est-ce *faisable* ?

15 juillet

L'administration a retiré les cordes et les lames :
ils craignent une vague de suicides, même chez
les plus anciens que la répression a ébranlés malgré
leur endurcissement dans la peur.

Il reste nos armes mais à force, on finit par croire
qu'elles sont fausses, chargées à blanc, pistolets à
eau, en plastoc, ou tout juste vides.

Interdiction d'en finir d'un coup sec – ce serait
mauvais pour les chiffres, il y a eu assez de pertes
comme ça… On nous maintient dans l'existence,
ce qui me persuade qu'en général les bourreaux
sont le plus souvent du côté de la vie.

17 juillet

Arrivée d'une assistante psychologique, conne bien
diplômée qui prétend panser nos bobos internes à
coup de « C'est la vie de soldat ». J'aimerais lui

montrer ce journal, cryptogramme des entrailles. Elle ne comprendrait pas : elle n'y verrait que des symptômes de folie ou pire, d'insubordination. Je terminerais au trou, en quarantaine, ou chez les drones, en quarante morceaux. Pour la forme, j'accepte les petites pilules qu'elle me tend, conçues par des laboratoires qui savent faire fructifier la dépression. Des bonbons qui rassurent, lobotomie invisible, car ils sont prescrits sur ordonnance. Je n'avale pas : je recrache en cachette.

Pendant qu'elle déroule son diagnostic et ses conseils de circonstance, je pense au petit pistolet, celui fourni par l'intendance au moment de mon départ, qui dort toujours dans son étui immaculé, caché au fond de mon sac. Lui, au moins, je sais qu'il est chargé.

19 juillet

Soldat Anton veut me voir à notre lieu de rendez-vous habituel. Il s'inquiète de la couleur de mon visage. Lui tient le coup, par extrémisme : il y a toujours un caillou sur lequel il peut passer ses nerfs et ses balles. J'ai beau être face à lui, je ne trouve pas son regard − perte terrifiante : les yeux de quelqu'un qu'on aime. On cherche à savoir d'où elle provient : de lui ? de moi ? Dans notre cas, la faute se partage. Soldat Anton me parle, pourtant je n'entends rien.

Mais... J'écris tout ça dans le vide. Je me mens en décrivant un événement qui n'a pas eu lieu. Soldat Anton est mort. J'ai vu sa tête arrachée, son visage libre. J'ai vu sa tête aux mains des drones. Je me tiens seul, à la place qui fut la nôtre, seul avec mon journal.

J'évite de regarder le désert. Je lui en veux de se tenir toujours proche, là, à portée, sans jamais s'offrir à moi.

20 juillet

Je revois leurs dépouilles qui sont aussi celles de nos espoirs. Il n'y a plus rien à faire.

24 juillet

Je cherche, dans mon carquois mental, une possibilité d'agir. Elle demeure dans l'instinct – organe de la lutte. Ma conscience, hypertrophiée par le désespoir, reste silencieuse, *acceptante*, récif intérieur, inutile. Ce n'est pas en moi que je vais trouver le courage, mais en eux, les morts : leur bouche est muette mais leur exemple est vivant. J'ai dû les voir tomber pour naître. J'ai dû voir leur sang pour bâillonner l'instant d'hésitation qui précède tout acte interdit. C'est lâche, mais je dois agir seul – en dernier recours.

25 juillet

Ils ont osé ce que je décide de tenter pour de bon : m'en prendre aux drones. Il me faut juste en revenir à ce pour quoi je suis venu au monde : pirater mes propres programmes. Je dispose de la clef et de la lame au creux de la même paume.

D'abord, esquiver mon chef. Le pauvre a été si marqué par la répression qu'il passe ses journées à faire des tours sur sa chaise de bureau, les bras ballants, la prunelle élidée. Il ne me communique plus rien et c'est moi qui depuis peu dois prendre en charge les rapports, les sauvegardes de données et toutes autres sortes de tâches qui lui étaient destinées par le versant administratif de sa personnalité. Il me fait presque de la peine, mais je n'ai pas le temps de m'y attarder. Il faut profiter de son épuisement professionnel, il est tout gris, je soupçonne la psy du camp de lui administrer une double dose de cachetons.

Passage à l'acte – tabou trop tardif –, tu émerges enfin de moi.

La première heure, j'ai dû un peu lutter contre une réticence propre à mon âme de geek : je pense à tous ces baby-drones que mon action va condamner à la casse une fois qu'on se rendra compte de leur comportement défectueux. Mais les remords ne sont que passagers, la haine de ma condition m'aide à les chasser, le mépris est un sentiment libérateur qui incite aux grandes entre-prises. Je prends un plaisir de plus en plus intense à dérégler chacun de mes drones, un par un, rede-venus l'espace d'une volonté de petites bêtes régies par mon despotisme.

Aux drones espions, je fausse leurs capteurs et leur vision thermique, aux drones snipers, j'enlève la géolocalisation, aux drones bombardiers, je retarde les détonateurs, aux drones ressources, j'interdis aux hélices de supporter le poids des charges, aux drones furtifs, j'ajoute un râle audible à des kilo-mètres à la ronde…

J'oblige… J'ordonne… Doux verbes retrouvés le temps d'un après-midi de kermesse.

Genèse renversée : j'enseigne à mes créatures les défauts qu'elles ont trop longtemps méprisés. Je rabaisse la technologie à l'imperfection humaine pour la punir d'avoir oublié la vraie nature de son créateur. Plaisir démiurgique que de déséquilibrer leurs dispositions *naturelles* : j'imagine mes drones volant de travers, s'écrasant les uns sur les autres, manquant leurs cibles, bâclant leurs objectifs.

Je m'imagine les drones en train d'échouer.

Il reste les drones noirs – intouchables – dont je n'ai toujours pas percé le mystère : je ne sais pas qui les gouverne, à part eux-mêmes. Mais mon bourbier est suffisant pour ralentir leur action pendant de longues semaines, ce qui va permettre aux hommes de partir en mission. L'état-major sera obligé de faire appel à nous, choix par défaut.

Je suis pratiquement indétectable. Je peux prétexter un bug du système, un piratage extérieur, une surchauffe. Peu importe, ce sera la faute de mon chef : habile utilisation de la hiérarchie.

Oui, la journée est belle – rien ne peut m'empêcher d'en jouir. Je vais être le héros du camp, le libérateur du dortoir. Tous se souviendront de mon acte.

Oui, je m'endors avec un sentiment qui ressemble, d'après mes souvenirs, à de la fierté.

26 juillet

Un ordre me tire du lit. Le ciel s'est ouvert sur une aube. Les chefs veulent me voir. Les yeux encore brouillés, je me retrouve dans le bureau de l'état-major. Ils sont là, réunis en un conseil de guerre. Ils doivent savoir ce que j'ai commis la veille. Je m'attends à une sentence immédiate, sans jugement ; mourir à leurs pieds, sur le carrelage froid, avant que les autres se réveillent, me faire disparaître en silence, rayé de la carte.

Il semble que j'aie tort car j'entends autre chose, on me parle sur un autre ton, un ton miraculeux. J'ai du mal à déceler le propos. Les voix expliquent d'abord, puis commandent : il faut que je parte pour une mission spéciale d'une importance extrême. Je dois livrer un message. Un message codé sur une clef qui vient de Paris et que je suis le seul à pouvoir décrypter.

Unique consigne : attendre d'être arrivé sur l'avant-poste de l'Est, face au gradé responsable, pour décoder les informations. Lui seul devra recevoir les données contenues dans le message. Apparemment impensable de l'envoyer à distance au risque que les réseaux aient été mis sur écoute par les terroristes. Et puis on ne voudrait pas qu'un soldat joue au reporter et dévoile tout sur WikiLeaks. L'armée a retenu la leçon de ses échecs passés. On ne les utilise plus d'ailleurs, les réseaux, sauf pour quelques faux messages à destins trompeurs.

Il faut que je parte tout de suite à l'Est, là où le désert devient rouge, avec mon ordinateur et la clef USB – mère porteuse du secret. Je dois attendre d'être arrivé avant de décoder le contenu – on me répète cet axiome plusieurs fois, pour que ma tête creuse en soit pleine, à ras bord. Il ne faut pas prendre le risque que le message décodé soit intercepté pendant le trajet, c'est aussi pour cela qu'il faut patienter. C'est à cinq jours de route. Le meilleur pilote du camp m'accompagnera. Ça devrait passer sans problème car les barbus se concentrent sur le front de l'Ouest en ce moment, là où les Russes s'apprêtent à envoyer leurs drones. Ce message doit arriver à l'Est par n'importe quel moyen : le futur de la guerre en dépend. On me parle même de l'avenir de la France et du monde occidental qui serait là, entre mes mains sales et tremblantes. Te caches-tu sous mes ongles noircis, l'avenir ?

Cette ultime mission comprend une récompense de pêche à la ligne. Si j'arrive à l'Est et que je décode le message, je peux rentrer chez moi. C'est promis. Et choisir mon futur. Bosser au pôle technique du ministère de la Défense ou pro-grammer les drones depuis Toulon, tout dépend du climat que je préfère. Avec un beau salaire et tous les avantages, week-ends de trois jours, primes, retraite rallongée – un rêve contemporain. Et sur-tout : la vie loin du camp.

Mais avant, seul contre le message. Il n'y a que lui qui compte désormais. C'est un ordre. « Allez vous préparer. » Je demande à en savoir plus sur le contenu, qu'au moins je sache la dangerosité de ce que je transporte. « Peu importe le message tant qu'il vous est destiné. » Je n'aurai pas de réponse.

On dirait une mauvaise farce mise en scène par les moniteurs en colonie pour piéger le *bad boy* du séjour… Pourtant, ils ont l'air si sérieux. Rien de pire que les mauvaises blagues sérieuses. Je n'ai pas le choix, je vais faire mon sac.

26 juillet, plus tard

Sans trop savoir pourquoi, je me retrouve à l'ar-rière d'une jeep avec devant les yeux une nuque carrée rougie par un surplus de soleil. Cette nuque, c'est mon chauffeur. Il ne parle pas beaucoup. Il s'est présenté à moi comme un « joker du volant » – j'en ai déduit qu'il aimait la surenchère. J'ai appris par quelques soldats, que je suis allé saluer avant de partir et qui m'ont souhaité « bon vent » avec une jalousie bancale, que j'étais entre de bonnes mains : l'homme est un pilote aguerri, sur tous supports – transatlantiques, avions de chasse et formule un.

Toujours est-il que ce n'est pas facile d'écrire quand la jeep valse au gré des rides et des grains de beauté du désert, notamment la trace des anciennes pistes pour *azalaïs*. J'aimerais m'arrêter pisser mais je n'ose pas lui demander : petite vessie est synonyme de petit courage ; je n'aimerais pas qu'il me cerne dès le premier jour. Il m'en reste quatre à franchir avec lui.

Nous traversons des paysages fantomatiques, une réalité inexpérimentée : du désert linéaire où pointent par moments quelques villages calcinés depuis longtemps. Ils luisent, j'y retrouve la secrète noirceur de la neige.

Malgré les précautions nombreuses, le blindage de la jeep, la vitesse élevée de notre conduite pour éviter d'éventuels tirs, les pneus spéciaux censés résister aux mines –, j'ai toujours l'impression de ne pas être en guerre, de parcourir un futur inoffensif et nu. Un avenir privé d'hommes qui le salissent *par habitude*.

Je souris en tripotant la clef USB qui renferme le message. Quel plaisir de servir un but : insufflez en l'homme la certitude d'être utile et il accomplira vos désirs mieux que si vous en étiez l'auteur.

J'ai quelques hypothèses sur la raison de ce trajet inespéré. Je ne crois pas en une seule mais un peu en toutes :

1) Les gradés se sont rendu compte de ma traîtrise, ils ont été prévenus par l'observatoire de contrôle numérique qui a déjoué mon maquillage chiffré. Mais je suis trop important au pôle technologique pour qu'on me supprime. La miséricorde se trouve chez ceux qui n'ont pas le choix, elle est attribut divin car malgré ce que l'on croit, Dieu manque de possibles. Ils m'ont pardonné mais veulent m'éloigner des commandes.

2) Ils n'ont rien vu d'autre qu'une folie épaisse, toute noire, montant en moi, la folie qu'on enferme. En bons guérisseurs, attentifs à leurs hommes, ils ont décidé d'agir pour ma santé : ils m'ont envoyé vers une action précise comme on prescrivait dans le temps aux tuberculeux des cures de soleil en haute montagne. La mission, c'est mon remède de neiges éternelles, de reflets, de

scintillements. Tout en ayant piraté la veille. Je suis le fils de pute le plus chanceux du monde.

3) Le divin hasard m'a sauvé la peau. On ne sait jamais… Ou bien, peut-être : génie protecteur, ange gardien, bonne étoile qui ne se défile pas, chance de cocu, chat noir, as dans les manches, échelles détournées, pas de femmes à bord, éternel débutant, trèfle à quatre feuilles et sans OGM, fer à cheval, mauvais œil contré, *born under a good sign*, etc. J'énumère toutes les insignifiances légendaires qui m'ont permis d'échapper au camp. Je vous dis unanimement, merci.

4) Peut-être ai-je fait quelque chose de bien ? Ne jamais négliger l'insoupçonnable réussite de nos actes. En l'occurrence, chez moi, de ma routine. Peut-être ai-je si bien *routiné* que j'en suis gratifié. Ça me flatte.

Peu importe, j'ai ma récompense ultime, triomphale : je FAIS quelque chose. Ça paraît dérisoire, mais pas pour moi.

26 juillet, soir

On traverse un checkpoint gardé par des fantômes qui nous ont à peine demandé notre laissez-passer.

Le ciel s'accélère – j'ai cru à un orage. En fait, rien. Je m'endors en tenant ce journal contre mon ventre.

27 juillet, matin

On a passé la nuit à rouler, avec une pause d'un quart d'heure pour avaler le contenu d'une conserve – était-ce du thon ou bien un mensonge en boîte, haché, salé ? Mon estomac n'y a pas cru.

Mon chauffeur ne semble pas ressentir les effets de la fatigue. J'ai dû m'éloigner pour aller pisser, sinon ça ne venait pas. J'avais beau compter jusqu'à mille, m'inventer des cascades – impossible. Ma prise de distance ne lui a pas plu. Je sens qu'on lui a demandé de veiller sur moi avec une attention particulière. Je suis un chargement précieux.

La banquette arrière de la jeep ressemble à un funiculaire suspendu entre deux pylônes : on tangue, on vibre, mais rien ne donne l'impression d'*avancer*.

L'ennui, créancier oublié, revient sonner à ma porte.

27 juillet, 12 heures

La joie d'avoir échappé au camp perdure jusqu'à ce que l'obligation d'une conversation avec mon chauffeur se fasse entendre. Seule parole intéressante qu'il a fini par me lâcher, « puisqu'on en est là » : il se verrait bien pilote de drones, pour sécuriser son futur professionnel. Utopie de poche.

27 juillet, 16 heures

Pause clope. Je me dégourdis les jambes. J'ai l'impression d'avoir été transporté dans un autre pays. Dans le désert, je m'amalgame au paysage. Tout de suite, j'y suis à mon aise. L'inverse du camp, et son vernis de vie sociale. Loin du regard des autres, je me déploie, je trouve ma propre mesure. Reste l'œil du chauffeur, fixé en permanence sur mon ombre.

27 juillet, nuit

Retour à ma banquette. On n'a rien à se dire. Encore une nuit lente, faite de mauvais sommeil en mauvaise posture. Je n'y arrive pas. Peu importe la mise en garde des gradés, il ne risque rien d'arriver sur cette route perdue. Je prends mon

ordinateur sur mes genoux, je l'ouvre. Je commence à décoder le message – meilleure manière
de brûler le temps tout en prenant de l'avance sur
mon labeur. Ce n'est pas tâche facile. Certainement
plus dur que de biberonner les drones qui n'attendent que de pouvoir le faire eux-mêmes. Le
message résiste. Le code est compliqué, très enfoui,
timide. Il faut l'amadouer par des combines, des
logiciels, des mots de passe, des bifurcations, des
données noires – ballet de drague informatique.
Je sens qu'il se laisse faire de plus en plus, qu'il
va s'ouvrir à moi, écarter ses cuisses, me laisser le
pénétrer pour qu'enfin je ne le désire plus. Je sens
l'ombre gigantesque qu'étend sur ma vie cette
étreinte pénible. Je lui octroie une importance capitale.

Tout d'un coup ça vient, je vois la fin du code
au bout de l'écran, les clefs électroniques qui se
connectent entre elles. Les gens imaginent que
l'informatique est une science dure mais en réalité on n'en est encore qu'au Moyen Âge : on
bidouille, on prie, on *alchimise*, on raccorde, on
s'agenouille pour implorer à nouveau, on mar-
monne, on réessaye, et à la fin, on a de la chance
ou on n'en a pas. Le codeur est un marabout qui
fonctionne à la supercherie affectueuse, un raté
qui profite des miracles qu'il n'a pas causés.

204

De la chance, j'en ai assez aujourd'hui. Assez pour voir le message destiné à un autre apparaître, extrait de la machine et révélé par la langue connue des hommes.

Il est écrit, en lettres capitales d'imprimerie, lettres noires, banales, innocentes :

TUEZ LE PORTEUR DU MESSAGE

28 juillet, aube

Je coule. Je lâche l'ordinateur, la clef, moi-même : je lâche tout. Cette mission n'est qu'une ruse pour me faire payer le prix de ma trahison. Ils l'attendaient, mon faux pas, et je le leur ai donné. J'étais surveillé depuis le début, depuis ma reddition. Je le savais mais je me suis cru plus vif que l'œil des caméras, plus habile que leurs soupçons.

Ce supplice personnalisé m'accorde une importance inattendue. J'ai envie de m'en vanter tant qu'il est encore temps. Moi, je mérite une mort spéciale, plus douloureuse et lente, plus réfléchie. Non, je ne suis pas un mutin comme les autres qu'on guillotine pour l'exemple. Moi, je meurs dans l'ombre, sans oraison, sans épitaphe, sans yeux pour me pleurer, sans soutien de dernière minute, sans ultimes paroles, sans résistance.

Ils me font porter l'ordre de ma propre mise à mort, être l'huissier et le bourreau de ma sentence. Il n'y a pas supplice plus infernal.

Depuis le début, je me suis trompé. J'ai cru que je pouvais leur survivre. Ils ont raison. Je suis coupable. Je suis coupable d'être lâche, je suis coupable de m'être rendu, je suis coupable de ne pas avoir dénoncé la vérité des drones, je suis coupable d'avoir continué à vivre dans ma routine, je suis coupable d'avoir collaboré, je suis coupable de ne pas m'être rebellé avec les autres, je suis coupable de m'être révolté trop tard et trop seul comme si ça suffisait à laver mon âme, je suis coupable de mon silence, je suis coupable – c'est tout. Ils l'ont su, ils m'ont jugé, immédiatement. Ils ont fait semblant de m'accepter, de partager des miettes d'appartenance, pour mieux me les arracher quand mon heure viendrait.

Elle est là, je la touche du bout des lèvres, je veux lui rouler une pelle mais elle est insensible à ma litanie de séducteur désespéré, elle reste froide, ma dernière heure. Pourtant elle est belle, bouche en fleur, cul de feu, tout ce qui m'a toujours plu. Le soleil se lève à peine et le désert resplendit d'une lumière blanche, torche de paradis. On en tomberait amoureux, de ma dernière heure.

Il aurait fallu s'enfuir, tenter le Grand Jeu en faisant le mur comme tout le monde, finir par embrasser le sable et laisser son sang noir y couler lentement. Au moins j'aurais eu droit à mon estocade rapide et à mon histoire scandée par les vieux soldats le soir entre deux parties de poker – bûcher honorable. Au lieu de ça, rien. On inventera une attaque suicide pour expliquer à ma mère. Et dans le camp, il y aura toujours une place vide avec mon nom gravé pour me rappeler que je n'ai jamais été capable de tout quitter. Il y aura toujours ma présence dans ce mensonge que ma mort va nourrir.

D'autres menteurs suivront, ils emprunteront la même voie. Les gradés et les caméras le savent. Ils savent tout. Même mon pilote sait. Il m'observe, il ressent mon tremblement intérieur. On a dû le prévenir. Peut-être qu'il doit verrouiller les portes pour m'empêcher de fuir quand on atteindra l'avant-poste de l'Est où je serai sacrifié. Ils ont choisi l'Est car ça pète moins, c'est très vide et très chaud, mausolée idéal pour un coupable qu'on souhaite silencieux. Je ne crierai pas, je ne leur ferai pas ce plaisir : je partirai sans bruit.

Je vois les yeux du chauffeur qui quittent de plus en plus la route pour vérifier que je reste à ma place, docile. Toutes ces apparences brodées, mises en scène, c'est beaucoup d'efforts pour me faire porter ma fin. Ils auraient pu m'abattre dans le camp. Mais les hommes en auraient souffert. Après la répression, si on continue à assassiner des soldats, ça la fout mal. Non, il fallait agir avec subtilité. Compter sur mon aveuglement et sur mon illusion de grandeur. Je ne les ai pas déçus. On peut même dire que leur cible ne leur a pas manqué. Je cherche une ironie, une morale de l'histoire. Je n'en trouve pas. J'ai la bouche sèche. J'accepte, je me dis que c'est mieux ainsi, que je n'ai pas le choix. Dans trois jours, j'arriverai à ma mort. Il faut juste attendre sagement d'ici là. Il n'y a jamais rien eu d'autre à faire.

III

AU SOMMET

« Mais du fait que nous sommes *deux*,
tout change ; la tâche ne devient pas
deux fois plus facile, non : d'*impossible*
elle devient *possible*. »

René DAUMAL, *Le Mont analogue*

Il tient le petit pistolet dans sa main droite qui étrangement reste ferme. La balle a traversé la tête du chauffeur, fauché son dédain désormais souillé par le sang, puis troué le pare-brise. La voiture s'est enfoncée dans une dune, elle crache, son capot est éventré. Quelles heures silencieuses jusqu'à ce qu'il saisisse l'arme du fond du sac, et qu'il tire. Il garde en main cet objet restreint mais lourd, qui ressemble à une clef de voûte resserrée, au chaud. Il regarde son flingue et le supplie de s'occuper de lui maintenant. Qu'il lui en mette une bien verticale pour que tout s'arrête. Ainsi, il aura au moins choisi son moment. Mais le flingue ne bouge pas : il passe son tour.

Il repense à la mission manquée avec les autres soldats, lorsque l'arme s'est enrayée et l'a empêché d'aller au bout. Cette fois-ci est la bonne. Que penseraient les gars en le voyant ? Que dirait Soldat Anton ? Les gradés ? Les mutins ? Ils devraient être fiers de lui. Il a rempli son rôle : il s'est fait tueur, un meurtrier pour de vrai. Il les a rattrapés, tous. Il est bien le coupable définitif.

Les minutes paraissent insurmontables. Rien ne bouge à part au loin, vers l'ouest, sur la ligne d'horizon, des missiles, immenses sauterelles rouges qui grondent, grésillent en brûlant, bombardent à pic, fusillent la terre, mitraillent et explosent, sans toutefois l'atteindre. Leur rage ne le concerne plus. La guerre se termine pour lui là où elle n'a jamais commencé.

Il a sommeil.

L'instinct le réveille, il faut quitter la carcasse et ses signaux de fumée qui attirent les mouches et les regards. La voiture pèle, ça déborde de partout. Il doit être tard, il a bien dormi, blotti contre sa victime encore tiède.

La soif agresse sa conscience, meurtri par le soleil son corps tangue d'une extrémité à l'autre. Il commence à marcher dans cette immensité vide qu'on lui a trop longtemps interdite : les refus se changent en refuges, prisons à ciel ouvert. Pris de vertiges, effluves de sa sécheresse mentale, il n'est pas seul.

Il s'échappe aux côtés des forçats, des évadés, des condamnés, des ombres, des derniers ; la liste est interminable, il l'achève.

La chaleur est asphyxiante. Il faut respirer cinq fois pour faire un pas. Puis dix. Bientôt, vingt. Il a lu des articles sur les chances de survie – elles sont infimes. Mais il se moque des pourcentages infirmes, codage comme un autre. Il est bien placé pour savoir qu'un code n'est jamais éternel, qu'on peut toujours l'infiltrer, le pirater.

Ça brûle, mais il ne sent plus rien. Il ne veut plus sentir. Il ne veut plus de corps. *Il se refuse.*

Le désert le soutient, l'accompagne dans cette conclusion libératrice qui le délie de ses épaisseurs. Chaque roche caresse sa peau. Chaque canyon conforte sa voie. Chaque crevasse est une nef. Il s'y couche, s'y étend à son aise. Ce vide lui donne toute la place d'être. Il a oublié sa soif, il a oublié le corps qui lui a tant pesé.

Enfin, Désert se livre à lui, offre sa vertu première : la pureté, don des lieux où rien ne pousse. Paysage sans racines, sans herbes, sans fleurs – qu'est-ce qu'il aimerait manger des fleurs, avaler leurs pétales et leurs pistils, sucer leur rosée utérine ; cela le sauverait, peut-être. Pays dénué de conventions, sans lois sociales, sans groupements, sans camps, sans non-dits et sans tabous. Pays des essences pures.

Aujourd'hui, on manque de déserts au centre de nos vies et de nos villes, où même la nuit, ultime no man's land, a été régulée, avortée de ses imprévus, de sa liberté. Le désert recule chaque jour un peu plus et personne ne peut mesurer la gravité de cette perte.

Dans son carnet, il note encore les jours, rien que les jours, sans trop savoir pourquoi. Il a du mal à délaisser ses habitudes cornées. Le soir n'est pas tombé, minuit n'a pas sonné, pourtant il a le sentiment d'avoir avancé beaucoup plus loin et profondément que ces derniers mois, vers un jour nouveau.

Il a conservé le carnet. Il ne voulait pas le laisser seul.

Il atteint un autre visage du désert, une pommette rouge, ensanglantée, sans violence pour autant, sans inquiétude, comme si Mars était devenue une Picardie un peu lointaine mais fréquentable. À travers les vapeurs qui s'échappent de son organisme, signe qu'il s'est enfoncé au plus profond de l'égarement physique et mental, il aperçoit dans cette lande de grandes cavités, creusées par le temps ou par une force qui lui échappe. Il s'en approche, y jette un œil. Les trous ne sont pas profonds mais suffisants pour y planter un jeune arbre. Il y découvre des têtes coupées, arrachées par la guerre, enfouies dans le désert, toutes ces têtes qui n'ont pas germé.

Ils sont tous là. Un journaliste décapité par les barbus. Des terroristes par dizaines. Des familles civiles, avec enfants, beaucoup d'enfants. Quelques soldats qu'il ne connaît pas. Et son chauffeur, en première ligne.

Les crânes se tournent vers lui et parlent avec leurs yeux grands ouverts, tous suppliants, ébahis, pour une fois tous à la même hauteur :

« C'est la zone ici. »
« Il n'y a plus de lieu flagrant. »
« Je m'en veux de ne pas avoir assez respecté le Coran : j'ai écouté de la musique et j'ai aimé ça. Maintenant je suis recalé du Ciel. »
« On est arrivés ? »
« Pas de rattrapage. »
« Trêve de paradis. »

« Nous nous excusons d'être restés là, sous vos bombes. Mais il faut nous comprendre : nous n'avions nulle part où aller. »

« J'ai envie de retourner à l'école. »

« Où sont les mille vierges ? »

« Ailleurs. »

« Il fait beau là-haut chez vous ? »

« Je m'en veux de lui avoir tiré dessus. Nous voilà deux dans un trou. »

« On ne se parle pas. »

Il écoute la litanie des têtes, ces morceaux qui le ramènent à la guerre, à ses conséquences, jardinage de bouts de vie. Il leur chuchote que tout ira bien, que tout s'éteindra bientôt et qu'ils pourront repousser ailleurs, s'en remettre aux plantes et à l'humus qui les recouvriront bientôt. Il leur offre une oraison funèbre qui les cajole et les berce. Certaines marmonnent encore dans leur sommeil. L'une d'elles – celle du bambin de son cauchemar – le regarde soudain et articule lentement :

« Ils arrivent. »

Au loin, les drones prennent d'assaut le ciel. Il se met à courir.

Le vent, mouchard naturel, a dû leur porter l'écho de son meurtre. Ils ont eu l'ordre de ramener sa tête au camp et d'exterminer son corps. Avec les drones, l'incertain n'est plus. Il ne lui reste peut-être qu'une heure ou deux avant qu'ils le rattrapent. La fuite prendra fin avec sa mort.

Mais il l'a déjà vécue, cette dernière heure – dans l'ennui du camp, sous les balles inutiles et missionnées, puis dans l'inscription du message qui lui était destiné – il s'en moque. Il veut la faire courir, la mort. Qu'elle lui arrive toute suante, en nage, mal fagotée, avec le mascara coulant comme après une nuit d'excès. Il veut la faire regretter de l'avoir choisi.

Le ciel est bientôt recouvert par les drones. Quand il se retourne, il ne voit plus que leurs pupilles rougies où flambe cette haine qu'ils ont appris seuls, sans programme ni codage, juste en regardant vivre les hommes.

En lui revient la peur, mais cette fois-ci, il la domine. Il l'exploite même pour courir plus vite. Cela ne lui plaît pas à la peur : elle aime manipuler ses victimes, mais qu'on se serve d'elle, elle déteste. Elle se sent violée, la peur. Elle abhorre cet instant. Elle a beau sévir dans son être, c'est lui qui la martyrise.

Il éclate de rire, ses côtes lui font savoir qu'il a mal. Qu'il se taise ce corps, ou il rira plus fort encore... *La peur a peur* – équation simplifiée : peur de lui. Il a beau être une proie en cavale, cela ne l'empêche pas de régler ses comptes. De se faire face pour la première fois.

Pour y arriver, il fallait prendre part seul aux troubles. Le déclenchement devait venir de son ventre à lui sans quoi l'étincelle aurait été faussée, à nouveau. Sa révolte se devait d'être intime, profonde, intérieure – égoïste, diront certains. Ils se trompent. Sa révolte est *égotisme* : plongée en soi pour se régler par soi. Révolte individualiste – la seule apte à changer le monde.

Il fallait un désert pour déserter : la rime est facile, mais correcte. C'est dans le vide de tout, quand il n'y a plus rien à contempler ou à suivre, qu'on s'oblige à se trouver. Enfin. Jamais il n'a été aussi libre.

Il s'arrête de courir. Il se retourne pour affronter ses bourreaux, contempler leurs visages sans bouche.

La nuit s'est presque scellée. Il ne s'en est même pas rendu compte. Tout le désert est bleu marine. Il reprend sa marche calmement, il prend son temps, en direction du soleil des loups qui a pris son quartier, sa veille de lune. L'astre froid le console et offre à ses épaules une armure lactée. Il porte sur sa peau les reflets d'un ciel doux et calme, contraste du monde en feu qu'il a quitté.

Le désert se change peu à peu en lente colline, qui s'attarde pour s'élever. Il sent sous ses pieds la côte légère qui fut jadis pente alpine, cratère volcanique peut-être. C'est étrange. Il s'attend à entendre l'essaim de drones, leur souffle aiguisé. Selon ses calculs, ils ne doivent plus être loin. Selon ses calculs, rien ne les arrête. Pourtant tout est calme. Il n'y a plus un bruit.

Il fait tout blanc – le néant est blanc et soyeux, jamais noir et vide comme le racontent les livres –, il va bientôt mourir. Il le sait. Il s'allonge et trouve un renfoncement dans le sable où sa parole peut continuer à écrire *dans sa tête* ce journal devenu une partie de son corps, un grain de beauté, une cicatrice, un cil, un silence. Une articulation.

Il doit être mort. Il faut se quitter, déjà. Sa voix ne porte plus très loin, il essaye de l'entendre, sa voix, mais elle s'éteint, avec lui, de l'intérieur.

Hurler, crier, se débattre par la langue ; tout cela le fatigue. La mort est un bain qu'il faut prendre à temps, encore tiède, avant que ça se refroidisse et qu'on la sente couler.

Pourtant, sa voix flotte en lui, elle demeure, flammèche qui lui rappelle la saveur de la chaleur passée. Il jouit des dernières lueurs, profite jusqu'au bout pour explorer le dernier acte de sa vie. Pendant tout ce temps, il était persuadé que sa fin serait sanglante. Encore une erreur : c'est une jouissance lente, la mort, un calme agréable. En lui se mélangent passé au présent, joies et peines, les rires et les restes. La glace à l'italienne vanille-chocolat, le premier slow, la première descente à ski, la piscine encore froide quand le corps se réveille à peine, les bruits du métro, la rentrée des classes, le fromage et ses mille possibilités, les baisers ratés à cause de l'appareil dentaire, le carnet de correspondance, les mots d'absence falsifiés, son premier programme accompli, son tout premier site Internet, sa copine de lycée qui doit avorter, les vacances, les retours, les voyages en train où il est toujours plus aisé de penser, les départs à l'aube pour éviter les embouteillages, les embouteillages quand même, les retards, l'attente insoutenable d'un SMS amoureux, les marches du collège, le premier vomi, la dernière nuit, les Lego et leurs cités légendaires en pièces détachées, les aimants sur le frigo, l'odeur de la cuisine de maman, sa joue rouge car elle s'est encore fait engueuler, ses cris qui déchiraient les nuits, son silence, son pouce, son doudou, sa manie de s'endormir en serrant son amant oreiller, le soleil qui passe à travers les volets jamais fermés, la fenêtre toujours ouverte même en hiver, le chocolat en poudre, le champagne et son ivresse facile, le retour à pas d'heure quand les oiseaux chantent et que la ville est bleue, la montagne toujours aussi sage, la rue qui descend vers le métro, encore des escaliers, les parcs où il pénétrait la nuit tombée, les statues et leurs conseils, les professeurs et l'insolence, le plaisir du grec ancien, l'ennui des mathématiques, les moqueries contre le prof de « technologie » qui ne savait rien sur les possibilités d'Internet, les stylos quatre couleurs, les premières cigarettes échangées comme des trophées de chasse, les courses-poursuites dans la cour de récré puis dans la vie tout court, la sonnerie qui vient trop tard tout achever puis trop tôt car on n'a plus le temps, la radio, les compiles faites maison, les lettres gardées dans ses tiroirs, les nettoyages de printemps, le tri des fringues trop petites qu'on veut quand même garder, les coupes de cheveux ratées, les occasions manquées qui restent plus intenses et plus lumineuses dans les souvenirs que les autres banalement réussies, les voyages, les avions, les langues étrangères, la sensation de perte, les embrouilles sur MSN, la drague toute faite sur Facebook, le piratage d'un compte en Chine et d'un autre en Égypte, la satisfaction d'accomplir l'interdit, la peur d'échouer quand il faut recommencer, la fatigue qui prend l'instant, la renaissance et la victoire conquises par un baiser, les ronces et les mûres qui colorent les mains et déchirent les genoux, les forêts en feu au mois d'août : il revoit tous les crépuscules qui assassinent les soleils. Il reprend son souffle.

Moments de bonheur vrai – reconnaissables car plus rien ne s'y distingue. Intimités passées avec la joie : preuve suffisante qu'elle reviendra. Voilà ce qui demeure, corail foisonnant, être illimitable : toutes ces couches qu'il porte 'sur lui en permanence, ses mille peaux qui ont mué et qu'il a gardées, voilà ce que leur guerre et leur peur n'ont pas pu effacer. Il est rassuré ; rassuré car il retrouve ce qu'il pensait perdu, oublié, enfoui, rasé. Mais c'est là, au sommet.

Il aimerait remercier le désert en se diluant en lui. À bas la dureté : les pierres, d'habitude invariantes, perdraient leur valeur. C'est éprouvant de ne plus pouvoir compter sur les solides. C'est éprouvant d'être ce qu'on est, pour la première fois, libération à l'arrachée. Ses limites fondent. Le désert devient un jardin exalté, une autre nature où il faut tout apprendre, se réapprendre en premier.

Cette initiation, il la nomme *Djihad poétique*, ultime contre-pouvoir, en soi-même, qui par les mots renverse ce que la communauté impose, qui retrouve à la fin les noms perdus des enfances, loin des dictées et des tableaux de conjugaison. Noms intimes, si doux.

Il a la tête collée à la peau du désert. Il gratte, il épie, il enfonce, mineur creusant à la recherche d'une explication : d'où provient sa lâcheté ? De ses gènes ou de son absence d'acte ? Il veut savoir, même si pour cela il faut braquer le coffre-fort de l'histoire, son histoire cette fois. Si la vie le garde encore un peu en elle, c'est pour qu'il trouve ses réponses.

La faute ne vient pas de ses ancêtres – à la gare de Cahors, transportant une valise pleine de tracts antinazis, son grand-père fut arrêté par les gendarmes à qui il glissa : « Si vous êtes des bons Français, vous n'ouvrez pas cette valise et vous me laissez partir. » Mais bon Français, ça n'existe pas. Sa faute ne vient pas du sang : il la porte en lui, il en est l'origine, le seul responsable. Ils doivent bien se moquer, ses aïeux, ses pères : il invoque leurs souvenirs pour se laver d'une guerre sans combat et sans perte, d'une guerre faite de peur uniquement. Il est un planqué à leurs yeux, il le sait. Car la famille juge, elle aussi : elle est une appartenance comme une autre. Il veut mourir en n'appartenant à rien d'autre qu'à lui-même.

Il est temps que cela cesse. Il reprend sa marche dans le silence et il continue de monter vers la frontière du désert. Sous ses pas, il devient toundra, plage, glacier – tout à la fois. Ils vont le rattraper, il n'y a pas d'autre issue. Mais cette certitude ne vaut pas celle qu'il a trouvée en lui : il est libre, désormais. Tout peut s'éteindre, son pouls peut cesser. Il a fait, donc il est. À jamais libre de faire.

Pour s'atteindre, il a fallu le crime, le meurtre : l'injustice qui était sienne plutôt que leur justice d'emprunt – c'était le seul moyen.

Il peut tomber – respirer la fraîcheur obscure.

Il tombe, c'est-à-dire : il monte vers le fond. Il s'en va vers des lieux où il n'a pas pied. Adieux à découvert. Seul pour finir, loin des erreurs qui ont été faites et acceptées au nom de l'unité. Car s'il y a un camp, l'unité y habite. Il a déménagé – en lui. Désormais il veut se tenir dans l'intégralité de lui-même, ne plus se confiner à certaines parties, trouver le centre d'où il irradie. Ne plus se dérober aux nouveaux commencements ou plutôt, ne plus laisser les autres commencer pour

224

lui. S'il a tant aimé Internet, espace sans œuvre et sans objet, coulis de signes, confiture qui n'en finit plus de bouillir, c'est qu'il n'a jamais cru en sa capacité d'achever. Ça le rassurait, ça confortait sa lâcheté, son inaction. Son journal déserteur est la preuve du contraire : bien ou mal, sa mort y mettra un point final. Il sera *fait*. Son achèvement. Le trajet vers une nouvelle naissance, même s'il faut sombrer pour le trouver, se trouver. Sans appuis, ni tricheries – tout finit –, il se condamne à de l'avenir.

Demain

Il entendra un rire, le rire d'une femme. Un éclat qui le réveillera, le ramènera à la vie. Il verra son ombre, debout, à ses côtés. Elle se moquera de ce cadavre, dormeur apaisé. Son regard se posera sur lui – regard bouleversant qui le bousculera. Pas celui d'un drone puisque accompagné d'un visage. Un lendemain existera donc, dans la marge incertaine. Son pouls battra trop fort et il se sentira coincé sous une pierre – ce sera lourd d'avoir un cœur. Il sera allongé, comme un angle. Puis il se déploiera, ligne raide. L'écho reviendra, à son tour : toujours le rire, accompagné du rêve, en sous-titre. Il tombera encore : tout coulera, à nouveau, tout se confondra dans des impressions infinies et tendres. Mais ce ne sera pas fini. Elle le rallumera avec de l'eau, de l'eau qui éclaboussera sa peau – ce sera enfin certain : il pourra sentir. La lumière baissera, elle sera moins forte, plus maternelle. Il se relèvera.

Il a atteint un plateau absent des cartes, résistant à la géolocalisation, un plateau où la Wifi ne s'est pas implantée. Une retraite au-dessus des chiites, des sunnites, des Américains, des Européens, des Russes, des Chinois, des casques bleus, des croix-rouges, des puissances émergentes, des puissances détergentes, des crises, des solutions durables et de tout le reste qui constitue ce monde impur, illisible, gonflé d'identités trop marquées.

Pour rejoindre en lui le promontoire et la trêve, il devra faire son ascension, sa propre remontée analogique, jusqu'au sommet absolu de son être. Révolte intime, grève primitive : voilà l'aventure qui le révélera, le mettra en quête d'une nouvelle perpétuité.

Celui capable de respirer l'atmosphère qui remplit son cœur à ce moment sait que c'est celle des hauteurs, l'air y est vif. Il faut être créé pour cette altitude, autrement l'on risque de prendre froid. La glace est proche, la solitude est énorme – mais voyez avec quelle tranquillité tout repose dans la lumière ! Voyez comme l'on respire librement ! Ils vivent ici, tribu des déserteurs, oubliée de l'actualité, de l'Internet et de la guerre. Exilés des identités, dépecés des appartenances : « La patrie n'est qu'un campement dans le désert », est leur seul proverbe, unique rappel à l'ordre. Ils n'ont pas besoin d'autre chose que d'eux-mêmes. À cette hauteur, la croyance religieuse, patriotique ou technologique, n'est plus une excuse valable pour masquer les actes des hommes. Pour tarir leurs responsabilités.

Peut-être que ce lieu n'existera pas : ce sera un mensonge, ce sera le rêve que font les morts. Mais il y sera bien, alors pourquoi douter ?

L'exigence d'une vie c'est de mettre toute sa volonté dans sa nécessité : pour lui c'est le désert, seul espace où il a retrouvé la force de faire. Et de s'y achever.

Quelles seront les conséquences de sa désertion sur la suite de la guerre ? Aura-t-on pris conscience du mal-être des soldats ? Les drones seront-ils interdits ou bien comblés de médailles d'honneur ? La guerre sera-t-elle terminée, close à jamais ? De sa hauteur, il ne saura plus si sa disparition date d'une nuit ou d'un coma de mille saisons. Il ne verra plus rien – sacrifice des sens, obligatoire pour être invisible. Il reniera le monde. Il abandonnera, au-dehors, la guerre totale, absente et perpétuelle.

La soumission doublement pathologique – boulimique et aveugle – à la technologie est un déni de volonté. Elle prive d'acte donc d'honneur. On se désengage par les drones, on leur laisse le monopole de la peur. L'ennemi n'est pas celui que l'on croit, l'ennemi c'est le drone en soi. C'est pour ça qu'il a déserté : pour retrouver l'action. Il a déserté en lui pour éprouver qu'il revivra.

Jamais il ne connaîtra plus belle paix.

Remerciements

À Grégoire Chamayou, que je ne connais pas, mais dont l'essai *Théorie du Drone* (La Fabrique, 2013) fut essentiel pour mon travail.

À Tiffany Gassouk, mon éditrice, qui a cru en moi et a su manier le mot, le rire et la gifle pour faire éclore ce livre à mes côtés.

À Marie-Claude, Georgina, Delphine, Anton et David pour leur aide précieuse.

À Sonia, sans qui ce livre n'existerait pas.

Photocomposition PCA

Achevé d'imprimer en juillet 2016
par CPI Bussière
pour le compte des éditions Calmann-Lévy
21, rue du Montparnasse 75006 Paris

N° d'éditeur : 3260699/02
N° d'imprimeur : 2024632
Dépôt légal : août 2016

Imprimé en France.